デジタル安全保障2040

激動の時代を勝ち抜くデータセンター戦略

北海道ニュートピアデータセンター研究会／
日経BP 総合研究所 イノベーションICTラボ

日経BP

CONTENTS

はじめに
Introduction

山本 強 Tsuyoshi Yamamoto

北海道大学 名誉教授

2020年という年は、歴史の転換点として現代史に刻まれる年になりました。新型コロナウイルス感染症、2020年東京オリンピック・パラリンピックの開催延期、そしてリーマンショックを上回る世界経済危機が同時に起こるということは、誰も予想できなかったことです。今そこにある危機に取り組まねばならないのはもちろん大切ですが、私たちはこの状況下だからこそ、長期的な視点で、世界、アジア、そして日本の将来を考えることが重要だと考えます。

2016年度に策定された「第5期科学技術基本計画」において、今後の最重要キーワードとして取り上げられたのが「Society 5.0」でした。この文書のPDF版を検索すると、「超スマート社会」という言葉が24回使われていました。

遡れば、人類は狩猟社会（Society 1.0）、農耕社会（Society 2.0）、工業社会（Society 3.0）そして情報社会（Society 4.0）と、社会システムを進化させてきました。そして、その次の社会システム、つまりSociety 5.0の実現を目指すことを日本の科学技術政策の基本方針にするという意思がSociety 5.0という用語に凝縮されています。その根幹となるのがインターネットに代表されるICT（-）情報通信技術です。

テクノロジーは社会システムを革新する

一方で、「Society 5.0とは何か？」と問われても、「それはこれです」と明快に答えることは難しいのです。工業社会は18世紀後半に始まる産業革命によって実現されたというのが歴史の定説ですが、その産業革命（Industrial Revolution）という用語は19世紀半ばまで存在しなかったそうです。当時、産業革命を牽引していた技術者や事業家は、自分たちが世界を変えているとは思っていなかったのではないでしょうか。Society 5.0も、それが実現された時に、後世の歴史家が「2020年がSociety 5.0への転換点だった」と書物に記して初めて定着するものです。コンピューターとネットワークが社会構造を根本から変えるかどうか、そんなことを議論することに意味はなく、人類社会はその方向に向かわなければ持続できないと考えるべきです。そういう立ち位置で、私たちは情報とネットワーク

の視点から、21世紀以降の日本の形、そして、その実現のために北海道が最も重要なポジションにあるということを本提言書で提案します。

歴史を振り返れば、狩猟社会から農耕社会に変わったのは栽培農業という農業技術の革新があったからです。工業社会は科学技術による大量生産、輸送技術の革新によって起こりました。20世紀に入ってコンピューター技術が爆発的に発達した結果、情報社会（Society 4.0）が出現して今があります。そして次に起こると考えられているのが、物理的実体としての現実空間（Physical Space）と、コンピューターとネットワークの中に構築される情報空間（Cyber Space）が融合して実現するSociety 5.0の社会です。

ネットワークとデータセンターの強靭化が日本の未来を創る

Society 5.0の意味するところは、ネットワークとコンピューターが社会の最重要インフラになる社会ということです。20世紀までは、国家インフラと言えば、道路、水道、食料、エネルギーといった物理的システムを意味しましたが、Society 5.0の社会では、物理的なインフラは情報インフラの上に構築されるようになります。今でも交通やエネルギー流通は情報システムがなければ機能しません。現在、すでに国家機能から私たちの生活までが情報システムによる最適化によって支えられています。着実に進む日本の次世代化を見据えて、ネットワークとコンピューターをどのように配置し、運営するかは国家レベルの重要

課題になるというのが私たちの共通認識です。

Society 5.0が日本の未来であるとした時、最重要インフラが情報ネットワーク網と情報処理基盤であるというのは明らかです。Society 5.0の世界では、エネルギー、食料、医療、物流など国を支える全システムがデジタル基盤の上に構築されています。ネットワークとデータセンターが機能停止することは、社会システムの停止を意味します。日本の未来には、速い、太い、そして強いネットワークとデータセンターが必須です。

一方で、日本ではネットワーク事業もデータセンター事業も民間ビジネスであり、基本的には、高性能、低コストのサービスは企業間競争によって提供されるという前提があります。競争原理により新サービスの開発やコスト削減が促進されるのは民間ビジネスの利点ですが、それだけで日本の情報基盤が勝手にできるというものではないはずです。国としての情報通信インフラの目指す姿、大方針を示し、その方向に沿った国家投資も必要になります。

今、そこにある危機への備え

21世紀になってまだ20年しか経っていませんが、この20年間に日本は未曾有の自然災害や社会的災害を経験しました。2011年には3.11東日本大震災とそれに起因する福島第一原発事故があり、2018年には北海道胆振東部地震により引き起こされた大規模停電、いわゆる北海道ブラックアウトが起こっています。経済システムで

はリーマンショックと呼ばれる金融不安も
ありました。そして目下、新型コロナウイ
ルスによるCOVID-19パンデミックが世
界規模で発生しています。

　災害が起こるたびに言われるのが、日本
の東京一極集中の構造です。日本は政治・
行政・産業の中枢機能が東京に集中してお
り、もしも東京が壊滅的な被害を受けた時
のダメージが極めて大きいと言われていま
す。中枢機能の分散配置は従前から繰り返
し言われていることですが、一向に進まず、
今に至っています。現実問題として、情報
管理の一極集中が引き起こした人災も実際
にありました。

　2011年の3.11東日本大震災の時、北海
道は地震そのものによる物理的被害は比較
的小さかったのですが、北海道と首都圏を
結ぶ通信回線が被害を受けたことで、一部
の携帯電話サービスが北海道全域で長期間
停止するという障害が発生しました。長距
離通信回線の遮断が思わぬ機能停止をもた
らしたわけです。2018年の北海道ブラッ
クアウトでは、長期間の停電によって物流
や決済の情報端末が停止したため、北海道
全域で店舗から生活物資が一時的に消える
という経験をしました。携帯電話基地局の
非常用電源が長期間の停電に耐え切れず、
携帯電話が一部の地域で不通になるという
事態も発生しました。

　3.11東日本大震災当時と比べて、今の
私たちの生活や経済活動の情報通信依存度
は高まっています。もしもそれに見合った
情報通信環境の強靭化対応がなされていた
ら、2018年のブラックアウトの時の状況

は変わっていたでしょう。

　将来的には3.11東日本大震災を上回る
規模の巨大地震が起こる可能性が指摘され
ています。その時に日本の基幹インフラを
維持することができるかが問われています。
Society 5.0の時代には、情報通信網、特
にインターネット網が最重要インフラとな
ります。物流、エネルギー、医療など生命
維持に不可欠な基幹インフラがネットワー
クとコンピューターの存在を前提に構築さ
れるのがSociety 5.0の社会なのです。

　自然災害をゼロにしたいのは人類共通の
願いです。しかし、災害の規模は時として
人知を超えるものとなり、経済システムは、
もはや人間がコントロールできる複雑さで
はなくなっています。それを完全に防止す
るという目標を立てたなら、そのコストは
非現実的な規模になります。考えたくはな
いことですが、災害は起こるものという仮
定で、その被害をいかに小さくするか、そ
して速やかに回復するかが現実的な対応に
なります。

　日本は地震や台風など過酷な自然環境を
前提に社会インフラを構築してきました。
そして今、情報通信を前提にした新しいイ
ンフラ構造に移行することが想定されてい
ます。私たちは、その新しい社会が災害や
新環境に対してどれほど強靭かを今一度考
える必要があります。

グローバルネットワークと日本

　情報通信網は地球規模で設計する必要が
あります。いや、それでも不十分で、将来、
人類が宇宙空間、さらには太陽系外まで進

出することを想定した情報通信システムとしてネットワークを考える必要があるかもしれません。そこまで考えるのはまた別のミッションだと思いますが、日本がグローバルネットワークにおいてどのようなポジションにあるかは正しく認識しておかねばなりません。

　現在の世界の情報通信網を見ると、大きく北米西海岸、北米東海岸、ヨーロッパ、そして東アジアを結ぶ光ケーブル網を中心に作られています。この構造は航空路のハブ＆スポーク構造と似ています。現状の光ケーブル網がどのように構築されたかは、その時々の状況の結果だと思います。一方で、光ケーブル、特に海底ケーブルは一度構築すると数十年は変更できません。だからこそ、これから構築する新規幹線網はグローバルな視点、長期的視点で慎重に設計する必要があります。

　情報ネットワークはつながっていればよいという単純なものではありません。光と言えども速度は有限です。光の速度は1秒間に地球7.5周（秒速約30万km）ですが、これはコンピューターの処理速度から見ると驚くほど遅く、例えば3GHzで動作するCPUでは、1命令は約0.3ナノ秒で実行されますが、この時間で光は真空中ですら10cmしか進みません。これが光ファイバーの中では、速度は60%くらいまで低下し、6cmしか進まないのです。太平洋横断や日本とヨーロッパを結ぶ回線は、総延長1万kmくらいになることがあります。そのケーブルを通過するのに要する時間は50ミリ秒程度になります。人間が見て判断す

るのなら、50ミリ秒という遅延は大きな問題ではないのですが、コンピューター対コンピューターの世界では、遅延が50ミリ秒か40ミリ秒かの違いは大きな差です。

　日本の中で北海道は、北米大陸、ヨーロッパに近い地点に位置しています。もしも北海道とそれら地域とを結ぶ直通光回線が存在したら、北海道は日本でそれらの地域と通信する際に遅延時間が最小の地域になります。現在その経路は存在しないため、北海道はインターネット空間では外国から見て日本の一番遠い地域になっています。北海道にある情報端末が米国のサーバにアクセスする場合、国内経路で一旦東京か大阪までパケットを飛ばし、そこから光海底ケーブルで北米の陸揚げ局まで送り、さらに米国国内網を経由して指定されたサーバにパケットが届くということになります。

　ヨーロッパと北海道間の通信はさらに問題です。多くの場合、北米を経由し、大西洋を越えてヨーロッパ地域へ通信パケットが送られます。その結果、パケットの往復に要する時間（RTT）は250ミリ秒近くになります。北米大陸までのRTTが100ミリ秒近辺であることから、その2倍以上の長さのネットワークを通過して接続されているということがわかります。

　日本－ヨーロッパ間を結ぶネットワークの直通ルートがない理由は、そのルート上にユーラシア大陸があり、自由に光ケーブルを敷設できないためです。特に経路上の大部分がロシアの領土であるため、光ファイバーを敷設するためには主権国であるロ

シア政府の許可が必須です。

　しかし、近年の北極海域の気候変動はこの状況を変える可能性を見せています。ヨーロッパとアジアの間を北極海経由で直接接続する光海底ケーブル事業の構想－Arctic Connect－が、2016年にフィンランド政府の提言として発表されました。その事業化をフィンランドの国営情報通信企業であるCINIAが進めています。CINIAの事業計画に関する発表は、2018年に札幌で開催された北極経済評議会の3rd Top of the World Arctic Broadband Summitの場で行われました。その後の国際情勢の変化もあり、北極海光海底ケーブル事業は、Arctic Linkとして事業計画を再構築して続いています。

　日本は国別GDPで、米国、中国に次いで世界3位の規模です。自由主義経済圏に限れば、米国に次いで世界第2位です。そのポジションから、アジア地域での自由主義経済におけるリーダーシップが求められているわけです。情報通信についても、単に日本のことだけを考えるのではなく、アジア・太平洋地域のネットワークを代表する立場で、グローバルネットワークの主要メンバーになることが求められます。

SDGsの視点

　世界経済が成長を続けるなかで、地球環境に与える影響が大きな問題になってきています。先進国が消費する化石資源量と発生するCO_2やプラスチックごみなどが、気候変動や生態系にまで影響を与えると言われます。人類が今後も安定して成長を続け

るために、再生可能エネルギーの活用や資源リサイクルなどを徹底することが求められています。特に先進国には、持続可能な開発目標（Sustainable Development Goals：SDGs）を意識した開発や投資をする義務が生じています。

　情報ネットワークやデータセンターは、外見的にはCO_2も廃棄物も出さないクリーンな事業に見えますが、消費電力は相当に大きいのです。コンピューターの処理速度は消費電力に比例します。情報処理の世界では、「情報処理量 ∝ エネルギー消費」なのです。ネットワーク機器もコンピューターそのものですから、ネットワークが高速・大容量化するということは、そのままネットワーク維持のために消費されるエネルギーも大きくなるということです。

　自動車や家電はエネルギー効率改善の技術開発の結果、化石エネルギー消費量が減少する傾向にあります。コンピューターも省電力化が進み、同じ処理をするのに必要なエネルギー量は減少し、結果として効率は改善されています。しかし、ネットワークトラフィックの総量やそれにともなう計算量が指数関数的に増加しているために、IT分野のエネルギー消費は他分野と比較して相対的に増加しています。

　科学技術振興機構（JST）の低炭素社会戦略センター（LCS）が2019年3月にまとめた「低炭素社会実現に向けた技術および経済・社会の定量的シナリオに基づくイノベーション政策立案のための提案書」（LCS-FY2018-PP-15）によれば、日本国内でIT関連機器が消費した消費電力の総

量は、2016年時点で年間55TWhと推定されています。日本の総消費電力は近年1PWh程度で推移しているので、IT関連電力消費は全体の5.5％程度ということになります。その内訳は、データセンター機器が16TWh、ネットワーク機器が18TWh、エンドユーザー機器（PC、モニタ、プリンタなど）が21TWhでした。つまり、データセンターとネットワーク機器の消費電力はIT関連消費電力の中で61％と、過半を占めています。データセンターもネットワーク機器もインフラ設備であり、エンドユーザーからは直接見えないので意識されないのですが、現実にはこの部分で大きなエネルギー消費が発生しています。Society 5.0という未来社会を設定するならば、その基幹インフラとなる情報ネットワークとデータセンターのSDGsは重要な課題になります。

北海道の特性を活用しよう

言うまでもなく、北海道は日本の最北端にあります。国土面積の約22％を占める一方で、人口は500万人台で、2019年の調査では人口密度は66.6人/km^{2}です。よく比較される福岡県が1029.8人/km^2、沖縄県が642.9人/km^{2}ですから、いかに人口密度が低いかがわかります。

しかし、北海道の主要機能が集中する札幌圏を見ると状況が一変します。日本海側の石狩市から太平洋側の苫小牧市までの道央ゾーンには、200万都市の札幌市を中心とする総人口230万人の札幌圏が形成され、北海道全域の半数以上が生活していま

す。経済活動もこの地域に集中しています。北海道には、高度に機能集中した「行政・経済センターとしての道央圏」と「それ以外の北海道」という2つの異なる地域があると考えるのが自然です。両地域は対立関係にあるのではなく、「第1次産業基盤を支える北海道」と「それ以外の産業集積地としての道央圏」という2つの地域特性を持つエリアだと考えるとわかりやすいのです。

また、北海道は日本海、太平洋、オホーツク海の3海に面しており、どの海域にも物流拠点港があります。特に、日本海側の石狩港と太平洋側の苫小牧港は直線距離で約75km、しかも、その間が平野部なので、高速道路経由なら1時間強で移動可能な距離です。加えて、その経路上に拠点空港としての新千歳空港が位置し、国内外の主要都市に直行路線を持っています。この地勢的な構造は、物流・人流だけでなく情報通信の面でも特徴的な位置にあると言えます。日本海側の石狩市は、国内の日本海側の都市、ロシア極東地域への通信路のゲートウェイになります。同じように、苫小牧市は国内の太平洋側の主要都市および北米へ向けた通信路のゲートウェイになります。そしてこの2地点は陸上経路で結ぶことができ、その間に札幌市と千歳市が位置することになります。このような地勢的特性を有する地域は国内でも稀です。

北海道は日本で唯一の亜寒帯気候であり、冷涼な気候特性があります。SDGsで重要なテーマである再生可能エネルギー資源も、風力、水力、太陽光、地熱、バイオ

マスと資源量が豊富です。日本の国土の約22％を占める北海道は、未開拓の資源も多いはずです。情報通信が新しいエネルギー需要を作ることで、新しい再生可能エネルギーが実用化される可能性もあります。

北海道の地域特性を活用したネットワークとデータセンターの立地計画は、日本全体の国土強靱化とSDGsに貢献できると確信しています。

Society 5.0 を支える
デジタル国土軸の構築に向けて

日本がSociety 5.0に向けて進むのは必然ですが、ただ待っていればそうなるというものではないでしょう。国として将来の日本のデジタルインフラストラクチャーの形を想定し、その実現に向けて推進する施策に遅滞なく取り組むことが必要です。具体的な施策として以下の7項目を提案します。

1. 国内外からの光海底ケーブルを陸揚げする地点を開発し、それをデジタルフリーポートとして共用インフラ化する

2. 様々な再生可能エネルギーの供給計画を策定する

3. 多様な通信ルートを備える豊富なデータセンター用地を確保する

4. 欧州、北米との短遅延・大容量国際回線の北海道陸揚げの政策的誘致を行う

5. 国家的情報資源の分散配置拠点として北海道を活用する

6. 既設光ケーブル網、新規光ケーブル敷設条件などの情報公開を促進する

7. データセンター拠点形成に資する税制優遇、規制緩和などの行政的支援を行う

高速・大容量で強靱なインターネット網とデータセンター拠点は、Society 5.0を支える最重要インフラです。産学官でその具体的な設計を共有し、実現に向けて協働することが求められています。私たち北海道ニュートピアデータセンター研究会は、2040デジタルジャパンの基本構造として、日本海側、太平洋側の光海底データ幹線と日本列島を縦断する中央データ幹線及びデータセンター拠点で構成される「デジタル国土軸」構想を提案します。その最重要拠点となるICTコリドール地域を北海道データセンターニュートピアとし、石狩と苫小牧に世界に向けた光海底ケーブル陸揚げ基地（デジタルフリーポート）を整備することを提案します。

北海道命名150年の期に

北海道は1869（明治2）年に松浦武四郎により命名され、2019年に命名150年の節目を迎えました。この150年の間に、北海道の人口が急増した時期が2度あります。明治初期から大正にかけての北海道開拓の

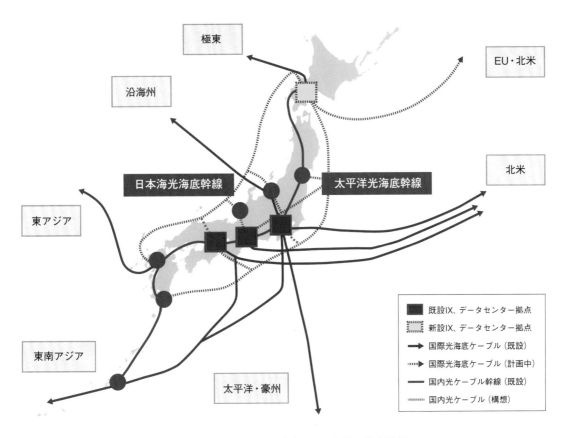

図　北海道ニュートピアデータセンターが提案するデジタル国土軸の基本構想

時代と、第二次世界大戦末期から札幌オリンピックが開催されるまでの期間です。意外な事実ですが、1945年1月の国勢調査の記録を調べると、北海道は人口3,518,389人で、東京の3,488,282人を上回って全国1位でした。これは第二次世界大戦末期の疎開による東京の人口急減が理由ですが、北海道は戦後の引き揚げ者の移民受け入れなどで人口増も大きかったのです。

つまるところ、北海道のリソースは広大な大地と人なのです。北海道開拓の時代から、全国から志を持った人々が新天地を求めて来道し、今の北海道を築いてきました。

人々が北海道に期待するものは時代とともに変わります。

Society 5.0化する日本を考える時、北海道が持つリソースは、その位置と、資源を最大限活用するネットワーク拠点と、データセンター資源なのだと思います。北海道はデータセンター立地の理想郷になれる条件を備えています。そしてそれは日本のみならず、アジアの経済や安全保障に大きく貢献できるものです。北海道命名150年を経た今、北海道と一緒に、その夢の実現に向けて第一歩を踏み出しませんか。

討論、北海道が日本を救う データセンター・電力・通信・食の潜在力

データセンターはデジタル時代を支える超重要インフラであり、未来志向でその立地を考えていく必要がある。未来志向とはデジタル化の発展はもちろん、電力の安定供給、国家の安全保障、災害対策、地域経済の振興など多様な視点に基づくアプローチだ。データセンターの立地先として期待を集める北海道の鈴木直道知事と、デジタル政策に関する顧問として道政に関わる慶應義塾大学の村井純教授がオンライン対談した。

（聞き手は大和田尚孝＝日経BP 総合研究所 イノベーションICTラボ所長）

慶應義塾大学教授 村井 純 氏 × 北海道知事 鈴木直道 氏

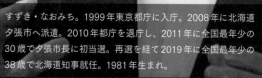

むらい・じゅん。インターネット網の普及に尽力し、「日本のインターネットの父」として知られる。デジタル庁の発足にも貢献。同庁顧問、内閣官房参与、北海道顧問などを務め、国際学会などでも活躍する。1955年生まれ。

すずき・なおみち。1999年東京都庁に入庁。2008年に北海道夕張市へ派遣。2010年都庁を退庁し、2011年に全国最年少の30歳で夕張市長に初当選。再選を経て2019年に全国最年少の38歳で北海道知事就任。1981年生まれ。

写真：村田和聡

写真：南健二

──デジタル社会においてデータセンター（DC）の役割はどう変わっていきますか。

村井：クラウドコンピューティングの登場を機にデータセンターの位置付けが大きく変わり、より重要性が高まったと考えています。かつてのデータセンターには、企業名を書いた「ケージ」と呼ばれるカゴが並んでいて、その中に各社から預かったコンピューターやストレージが置いてありました。「企業の所有物を預かる」という目的から、シリコンバレーや東京など、都市部あるいはその近くでIT産業のエンジニアが訪問しやすい場所、すなわち盛んな地域に作るのが一般的でした。

　しかしクラウドが登場し、ネットワークを介して様々なサービスを提供するようになってから、データセンターは都市部以外にも作られるようになっていきました。特にデータセンターが盛んに作られたのは、米国、欧州、日本の3地域でした。クラウドサービスの利用者からあまり離れていない地域に集中して作る流れになったのです。グローバルサービスは時差8時間間隔で3カ所を組み合わせれば24時間提供できますから。

　その後、米国のプラットフォーマーがより大規模なデータセンターを作るようになりました。そうなると「最もデータセンターに適した土地はどこか」という議論になります。その際、よく候補に挙がるのがアイスランドやアラスカ、海の中など、データセンターが発する熱を効率的に冷やせる、エネルギーコストの低い場所でした。そういった場所はエネルギー効率の面でのメリットから、現在に至るまで様々な展開が進んでいます。

　さて、発展が急速なアジアの利用者に向けたデータセンターをどこに作るかという議論になったとき、有力な候補として浮上するのが北海道です。北海道に改めて注目すると、様々なアドバンテージに気付きます。一方で課題はほとんどありません。似たようなタイムゾーンですし。

　データセンターは現状、東京に集中しています。ですから私は、この状況を変えていく必要があると強く考えるようになりました。

──北海道のアドバンテージとは。

鈴木：気候が寒冷であることに加え、再生可能エネルギーのポテンシャルが高いこと、電力が十分に供給されていること、土地を確保しやすいことや自然災害による首都圏などとの同時被災リスクが低いことなどが挙げられます。土地については、北海道は実にわが国の国土の22％の面積を有しています。電力については、一部地域で電力不足となった2022年7月時点でも、予備率が21.4％あります。（電力の予備率とは、ピーク時の電力需要に対して供給力の余裕がどの程度あるかを示す値）

　同じく7月における本州の電力の予備率は3.7％しかありません。安定供給には3％が最

ウクライナ侵攻に見る、ITと電力の重要性

低限必要とされており、それを下回ると計画停電などの対応が必要になります。こうした危機的状況を解消するために、現在北海道と本州をつなぐ送電ケーブルを敷く取り組みが進んでいます。本州の電力は、すでに北海道頼みといえる状況になっているとの報道もあり、ケーブルの敷設については前例のないスピードでやり遂げるべきだと考えています。

このような状況のなか、工場やサテライトオフィスなどを首都圏から北海道に移転する動きが加速しています。2021年に首都圏から本社機能を移転した企業数は、大阪府、茨城県に続いて北海道が3位となり、前年からの増加数では、北海道が1位になりました。データセンターについては電力の問題とあわせて考えると、ご理解いただきやすいのではないでしょうか。

村井：ITと電力の問題をあわせて考えるのは重要なポイントだと思います。それが非常によくわかるのがウクライナの取り組みです。

ウクライナは従来、ロシアの電力網である「ロシアングリッド」を使用していました。しかし、サイバー攻撃などによって電力供給が止まるケースがあったため、2015年ごろから欧州の「ユーログリッド」に切り替える準備を始めました。2022年のウクライナ侵攻が始まるわずか4日前に実証実験を開始しており、2023年6月に切り替えを完了する計画を立てていました。ロシアの侵攻を受けて急きょ予定を変更し、侵攻開始から3週間で切り替えを終えました。

今回の侵攻で「激しい戦いの最中のはずなのに、なぜオンラインで会話をしたり、様々な映像を発信したりできるのだろうか」と疑問も持たれた方も多数いらっしゃると思います。それは、電力グリッドの切り替えによって安定した電源の確保に成功したことが最大の要因です。だからウクライナは停電していませんし、スマートフォンの充電もでき、ネットを介した発信が可能なのです。

この例からも、電力と情報通信網は、水道や交通などと並ぶ、あるいはそれ以上の重要インフラになっている、という事実がおわかりいただけるかと思います。日本においても、有事でも安定して電力を供給するにはどうす

写真：南健二

べきか、という課題を前もって考えておく必要があります。

鈴木：電力については、今や世界的なミッションになっているカーボンニュートラルという視点でも考えるべきです。太陽光や風力など再生可能エネルギーのポテンシャルは、北海道が日本一です。

　従来のIT政策、特にデータの扱いは民間企業任せだったため、データセンターや電力を含め、国全体にとってどういった形をとるのが最適なのかという視点では考えられてきませんでした。これからは、日本にとって最適な形を政府が示し、いつまでに何を実施するかといった時間軸を明確にして取り組む必要があります。そうなれば北海道の重要性が次々と明らかになるはずです。

村井：世界のデータセンター事業者の動きを見ていると、「電力の匂い」がするところに集まっていく動きがわかります。近い将来、北海道にも世界中のプレイヤーが集まるようになるでしょう。

写真：村田和聡

　国もそれを応援すべきですし、そのためには「電力の匂い」をプンプンさせるような施策が必要です。例えばデータセンターに対する電力関連の優遇措置などを設ければ、インパクトがあるでしょう。

──世界のデータセンター事業者を呼び寄せるには、海底ケーブルの拡充や信頼性の確保も重要になりそうです。

鈴木：その通りです。2022年7月に起きたKDDIの通信障害で、デジタルインフラの重要性を再認識した方も多いと思います。

　政府は日本を周回する光海底ケーブルを敷く計画として「デジタル田園都市スーパーハイウェイ」を発表しています。これを見ると、日本海側で東北と九州をつなぐ光海底ケーブルの敷設計画が実線で示されているのに対し、太平洋側で北海道と首都圏をつなぐ光海底ケーブルは点線で示されており、実効性が曖昧です。この点線にケーブルが敷設されれば、太平洋側と日本海側の2本のケーブルによって北海道と本州がつながり、有事の際にどちらかが切れても接続が可能になります。

海底ケーブルの
拠点としても
要所に

村井：お話ししてきたように北海道は非常に重要な地域であり、当初は3本のケーブルを敷設しようという話になっていました。それが予算の関係で見通しが立つところを（先行して）、ということになり、あのような案を示す形になってしまっています。でも北海道が極めて重要な要所である点は皆が認識しています。

　少し話は変わりますが、地球を俯瞰して世界全体をケーブルでどうつなぐかという視点でも、北海道は重要なのです。ニューヨークやロンドンなどとの接続を考えた場合、北極海にケーブルを敷設することができたとしたら、ケーブルをつなぐ一番の候補は距離的に近い北海道です。以前は氷が張っている北極海にケーブルを敷くことは夢物語でしたが、近年は調査船が航行できるようになってきました。ケーブルの敷設がどんどん現実的になっています。夢だったものが野望になり、義務になってきた、という印象です。

鈴木：最初は村井先生から夢だと伺っていましたが、お話しするたびにより現実味を帯びてきました。欧州や北米への接続を考えた場合に、北海道が地理的に優位なのは確かです。その優位性を国に積極的に伝えていくのが大事だと思いますし、それによって投資の優先順位を高めることができたらと考えています。

写真：村田和聡

──データセンターを誘致するためにどんな取り組みをしていますか。

鈴木：村井先生には北海道顧問に就任いただき、いろいろアドバイスしていただいています。2021年末、東京都内でデータセンターセミナーを開催し、村井先生から北海道の可能性を発信いただくとともに、私からは、「国内最大規模のデータセンターを誘致する」とアピールしました。

　道では、未来技術によって北海道が直面する様々な課題の解決と社会・産業の変革を目指す「北海道Society5.0推進計画」に2021年から5カ年計画で取り組んでおり、この中にはデータセンター誘致についての取り組みも含んでいます。データセンターが実際に立地するのは市町村なの

で、北海道は広域自治体として市町村とデータセンター事業者を橋渡しすることや、官民連携でのデジタル実装・推進のための取り組み方などについても言及しています。最大5億円の助成もあります。私自身が知事として意思決定をしておりますので、総力を挙げて取り組んでいるところです。

国として、データセンターの地方分散に取り組むのは初めてですから、これから様々な課題が出てくると思いますが、それらをどう解決していくのか、多くの方々に関心を持っていただけたらと思います。道では、北海道でのデータセンターの立地を検討されている企業の皆様からの相談にオールワンストップで対応しています。

総力を挙げて、国内最大規模のDCを誘致

──データセンター誘致による経済効果については、どうお考えですか。

鈴木：データセンターについては、ここまでお話ししてきた通り単体で考えられるものではありません。電力やカーボンニュートラル、リスク対策など様々な要素と組み合わせて検討する必要があります。

課題を一つひとつ解決して地域を活性化させ、将来的な大きな経済効果につなげる。そのためには、まさに今が分岐点です。大胆な政策を速やかにとらないと、北海道のポテンシャルが下がってしまうこともあり得ると感じています。ですから、今は取り組みを最大限に加速させているところです。

企業にとってデータセンターは、あらゆる事業活動を支える心臓部であり、そこに命を預けるようなものです。そうしたデータセンターが立地しているということは、大きな信頼感となります。そのような効果は大きなものがあります。関連産業の集積にもつながります。それらを目指していきます。

──村井先生にもお聞きします。地方創生の観点からデータセンターにはどんなメリットがありますか。

村井：新しいタイプのデータセンターができると

写真：南健二

いうことは、デジタル社会のインフラが整備されるという意味を持ちます。北海道が新しいデジタル社会の見本になっていくことが期待されます。

　地方からデジタルの実装を進め、新たな変革の波を起こして地方と都市の差を縮め、世界とつながる。そういった狙いを持つ政府の「デジタル田園都市国家構想」において、北海道は理想を体現する、フロンティアスピリットにあふれる地域になり得ます。

鈴木：食についてもお話しさせてください。現在、海外からの輸入が難しくなっている影響で、小麦や玉ねぎ、大豆の価格が高騰しています。国内に目を向けると、これらの生産は北海道が全国一となっています。今後、食料安全保障の議論が進むと思いますが、「じゃあどこで作るの」となった場合、北海道が最適地。その場合、デジタル技術を活用したスマート農林水産業によってより効率的な生産を目指す、という話になるはずです。つまり、食の問題もデジタルインフラや電力につながってくるのです。ですからデータセンター、電力、食という3点のいずれについても、北海道の価値が相対的に高まっていくと考えています。そして、これらは相互に関連する、切り離せないテーマだと思っています。

デジタルを起点に農林水産業での国際連携も視野に

村井：同感です。データセンターと食に関連した話題として、北海道は南の国々に対しても非常に重要な存在になり得ます。すでに北海道のデータセンターは東南アジアの（クラウドサービスなどで扱う）データの格納庫になりつつあるのですが、さらに南のオーストラリアからも北海道は注目されているのです。

　なぜ東南アジアとオーストラリアなのか。どんな企業や人々がデータセンターの利用者になる可能性があるかを考える場合、ポイントは時差です。時差が少ない地域を見ていく必要があります。

　同じタイムゾーンにいれば、ほぼ同じ時間に起きて同じ時間帯に仕事をすることができます。つまり地球を縦に見ることが大事なのです。こうしてオンライン会議を北海道と東京でやるのと同じように、例えば北海道とオーストラリアがオンラインで連携しながら牛やソバを共同で育てることが可能です。すでに日本のかつお節をインドネシアで作る取り組みが進んでおり、これには時差の少なさが関係しています。このように農林水産業の分野で考えても、北海道は非常に重要な地域であることがわかります。

　北海道は国際連携のゲートウェイになるだけでなく、様々な産業にとって大きな意味を持つ地域になっていくはずです。

第 1 章

インターネットと
データセンターから
世界を見る

デジタル社会を支える インターネットとデータセンター

田中 邦裕 Kunihiro Tanaka
さくらインターネット 代表取締役社長

D i g i t a l s o c i e t y

本節では、インターネットがテクノロジーという枠を超え、社会構造をその根幹から変化させてきた歴史と、昨今のデジタル化の推進により、様々な産業の在り方自体が急速に変化している現状について述べる。

昨今、転換期を迎えたIT業界において、従来日本が得意としていた「モノ（ハードウェア）」を売ることから、ソフトウェアやコンテンツを作り、データを活用しながらそれをサービスとして提供する「ソフトウェアサービス」が主流となってきている。これを受け、「インターネット」と「クラウドリソース」をいかに安定的に確保し、今後の産業分野、ひいては日本の長期的かつ持続可能な発展に結実させるかについてもあわせて述べる。

1.1.1

デジタル化で変わる世界

インターネットが社会で広く利用され始めた1990年代から、すでに30年近くが経とうとしている。その過程で、インターネットは単なるテクノロジーではなく、社会を根本から変えるに至る大きな外圧として影響力を発揮してきた。

狩猟採集をしていた人類が、1万年ほど前から数千年かけて農耕定住に移行し、その後、18世紀中頃から始まった産業革命により、100年も経たないうちに工業化が進んだ後、インターネットをはじめとするIT革命は、20世紀末から十数年という極

めて短いスパンで世界を根本的に変えた。

そして、世界の変化がますます加速する中で、ビジネスの根幹がリアルな世界からデジタル上へと急速に移行し始めている今、地球上において、人類はいかに持続可能な活動をするかが重要なテーマとなっている。これは、15億〜20億人程度の人間が生活できるとされた地球上に、すでに80億人近い人間が生活しており、農耕定住や工業化などによって地球上に住める人類の数を増やしてきた結果、地球環境への影響が課題として顕在化したものと言える。

2020年からは、悲劇的とも言える新型コロナウイルス感染症による災いが世界に降りかかったが、結果として、デジタル化によって多くの人類が日常生活を継続できただけでなく、CO_2排出量の激減および大気汚染の改善、漁業資源や珊瑚礁をはじめとする海の環境回復など、デジタル上での経済活動の拡大により、地球環境が改善した例も多く見られる。

このような中で、地球環境にできるだけ影響を与えずに多くの人類が文化的な生活を継続するためには、経済活動をデジタル上に移行し、デジタル技術をさらに活用していく必要があろう。

2009年に発刊された『フリー』[*1]において、クリス・アンダーソンは、物質主義の「アトム」とデジタル主体の「ビット」の世界があると説いているが、今世界を席巻しているのはまさに「ビット」の世界のビジネスであると言える。

また、2015年に発刊されたジェレミー・レフキンの「限界費用ゼロ社会＜モノのインターネット＞と共有型経済の台頭」[*2]で

図1-1-1　『FREE』と『THE ZERO』

は、IT企業が新たな価値を提供するためにかかる限界費用はほぼゼロであると説いている。

このように、デジタル化を進めることで「アトム」の世界にできるだけ影響を与えない経済成長が、今まさしくデジタル化という形で体現されてきたと考えてよいだろう。

1.1.2

輝きを失った日本

さて、今IT業界は大きな転換期にあると言える。そもそも、1990年代まで、日本のIT業界は世界を席巻する勢いで成長してきた。高品質で廉価な半導体や通信機器などは日本企業が大きなシェアを占め、IT製品を作り、それを販売するビジネスは大きく成長した。

しかし、今、デジタル社会の主役企業は大きく入れ替わってきている。

モノ（ハードウェア）を作って販売するビジネスから、ソフトウェアやコンテンツを作り、データを活用しながらそれをサービスとして提供するビジネス形態が中心と

	ハードウェア	ソフトウェア （データ・コンテンツ）
サービス売り	**インフラ** データセンター 通信事業者	**ネット系** クラウド （SaaS/IssS…）
モノ売り	**メーカー**	**受託開発 パッケージ**

図1.1.2　デジタル社会におけるビジネス構造

なり、日本の強みである「ものづくり」は、デジタル社会において強みとならない状況にある。

　メーカーの中でも、デジタルビジネスにおける数少ないアトム要素である一部の半導体企業や、ソフトウェアと一体でハードウェア開発を行っているAppleのようなスマートフォン関連企業は今なお強みを持っている一方で、従来日本が強みを持っていたコンピューターや通信機器の分野には、もはや日本の姿を見ることはできない。

　次に、ソフトウェア領域を見ると、やはりサービス提供を行う企業が強く、日本においてはソフトウェアをモノ売りする受託開発やパッケージが中心で、データを中心とした限界費用ゼロで成長を目指せるネット系企業はIT業界の中心的存在とはなっていない。

　さらに、モノを作ってサービスを提供する分野では、データセンターや通信事業者といったインフラ企業が中心であるが、ハウジングサービスやコロケーションといったビジネスは今後大きな成長は見込めず、ネット系企業のための場所貸しとしてのデータセンターや、土管屋としての通信事業

に活路を見出す以外にない状況にある。

　とはいえ、デジタル産業を支える上で重要となるアトム的資源にフォーカスしてみると、基礎となる半導体と電力、さらにそれらをデジタル資産に変える通信とデータセンター（インターネットとクラウドリソース）がいわゆる限界費用に該当し、これらが成長のために必要な源泉である。それらは、いわばデジタル時代における「産業の米」であることから、必ず育成していかなければならない分野である。

1.1.3
インターネットと
クラウドリソースは「産業の米」

　今、ネット系企業がソフトウェアサービスという限界費用ゼロのビジネスで大きな利益を生み出し、加えて、膨張する巨大な時価総額を背景に、ハードウェアに投資を始めるという現象が世界中で起きている。通信事業者やデータセンターのようにハードウェアで利益を生むのではなく、ソフトウェアで利益を生み、その利益をそのサービスのUX改善を目的としてハードウェア

投資に回すという状況になりつつある。

　世界を見渡してみると、国際通信回線や人工衛星、サーバハードウェアやAIチップなどに投資をしているのはGoogleやAmazon、Appleなどの巨大IT企業であり、実際のアセットはファンドや不動産会社が持つケースはあるにせよ、資金の出し手はこれらの企業が中心になってきている。

　今後、デジタルビジネスは、ソフトウェアやデータを中心に、サービスとして提供されるデジタル社会がデファクトスタンダードになり、それを背景としたデジタル産業がますます成長していくことが予想される。そうなると、限界費用と言えるインターネットとクラウドリソースは、産業の米として必要不可欠なモノとなり、半導体やエネルギーに加え、これらのリソースを十分に確保可能な供給力を備えることも同時に求められていくこととなろう。

　ビジネスモデルを変革させ、ネット系企業のようなソフトウェアをサービスとして提供する企業の育成を進めるとともに、基盤となるインターネットとクラウドリソースを内需として育てた上で、絶対に不足のないよう供給力を常に強化していくことこそが、日本の次の100年を作る競争力につながると言えるだろう。

　なお、将来、本当に「産業の米」としてインターネットとクラウドリソースが必要不可欠な要素となった時点で、経済安全保障や輸出産業としての観点からのフォーカスも重要になろう。

　すでに、エネルギーやレアメタル、半導体などは国家間の交渉材料になっているだけでなく、重要な貿易対象にもなっている。

　近い将来、インターネットとクラウドリソースについても、同じような観点で語られるようになるであろう。

　このような前提において、日本でしっかりとその要素を確保していくことは全産業の発展にとって重要であると同時に、それらを輸出産業として育成していくことも必要である。

　デジタル化によって、そもそもの産業の在り方自体が変わるとともに、国の長期的な発展の観点からも、インターネットとクラウドリソースを国内で安定的に確保し、そのために必要な施策を行っていくことこそ、今最も求められていることではないだろうか。

▼ 引用・参考文献等

*1『フリー〈無料〉からお金を生みだす新戦略』（NHK出版）クリス・アンダーソン著
*2『限界費用ゼロ社会〈モノのインターネット〉と共有型経済の台頭』（NHK出版）　ジェレミー・リフキン著

1.2 金融とフィンテック

藤原 洋　Hiroshi Fujiwara

ブロードバンドタワー 代表取締役会長 兼 社長CEO

FINTECH

　18世紀半ばから始まった産業革命は、世界を大きく変え、地球規模の様々な格差と環境問題を生んでいる。

　また、第1次から第4次にわたる産業革命のさらなる進展がもたらした巨万の富は、金融資本として世界に大きな影響力を持つ。

　本節では、金融のデジタル化を促進するフィンテック[*1]（Fintech）の登場と、近年の金融ビジネスの構造変化について述べる。

1.2.1
失われた平成の30年と
従来型金融サービスの衰退

　今日の日本の現代史を一言で表すと、「失われた平成の30年」である。30年前、日本は輝いており、自信に満ちあふれていた。日本中の地方で、自動車、家電、半導体、通信機の工場がフル稼働していた。平成元年（1989年）を例にとると、**図1.2.1**に示すように、世界企業の時価総額ランキングベスト50社中第1位のNTTをはじめ、特筆すべきは、日本興業銀行はじめ、当時の金融機関（銀行、証券、保険）が15社もランクインしていたことである。また、日本企業が32社ランクインしていた。

　しかし、30年が経過した平成30年（2018年）は、ベスト50社中にランクインしている日本企業は35位のトヨタ自動車だけである。

　「失われた平成の30年」をもたらしたも

	(a) 平成元年 (1989年)								(b) 平成30年 (2018年)							
順位	企業名	時価総額(億ドル)	国名	順位	企業名	時価総額(億ドル)	国名	順位	企業名	時価総額(億ドル)	国名	順位	企業名	時価総額(億ドル)	国名
1	NTT	1,638.6	日本	26	日産自動車	269.8	日本	1	アップル	9,409.5	米国	26	ファイザー	2,183.6	米国
2	日本興業銀行	715.9	日本	27	三菱重工業	266.5	日本	2	アマゾン・ドット・コム	8,800.6	米国	27	マスターカード	2,166.3	米国
3	住友銀行	695.9	日本	28	デュポン	260.8	米国	3	アルファベット	8,336.6	米国	28	ベライゾン・コミュニケーションズ	2,091.6	米国
4	富士銀行	670.8	日本	29	GM	252.5	米国	4	マイクロソフト	8,158.4	米国	29	ボーイング	2,043.8	米国
5	第一勧業銀行	660.9	日本	30	三菱信託銀行	246.7	日本	5	フェイスブック	6,092.5	米国	30	ロシュ・ホールディング	2,014.9	スイス
6	IBM	646.5	米国	31	BT	242.9	英国	6	バークシャー・ハサウェイ	4,925.0	米国	31	台湾・セミコンダクター・マニュファクチャリング	2,013.2	台湾
7	三菱銀行	592.7	日本	32	ベルサウス	241.7	米国	7	アリババ・グループ・ホールディング	4,795.8	中国	32	ペトロチャイナ	1,983.5	中国
8	エクソン	549.2	米国	33	BP	241.5	英国	8	テンセント・ホールディングス	4,557.3	中国	33	P&G	1,978.5	米国
9	東京電力	544.6	日本	34	フォード・モーター	239.3	米国	9	JPモルガン・チェース	3,740.0	米国	34	シスコ・システムズ	1,975.7	米国
10	ロイヤル・ダッチ・シェル	543.6	英国	35	アモコ	229.3	米国	10	エクソン・モービル	3,446.5	米国	35	トヨタ自動車	1,939.8	日本
11	トヨタ自動車	541.7	日本	36	東京銀行	224.6	日本	11	ジョンソン・エンド・ジョンソン	3,375.5	米国	36	オラクル	1,939.3	米国
12	GE	493.6	米国	37	中部電力	219.7	日本	12	ビザ	3,143.8	米国	37	コカ・コーラ	1,925.8	米国
13	三和銀行	492.9	日本	38	住友信託銀行	218.7	日本	13	バンク・オブ・アメリカ	3,016.8	米国	38	ノバルティス	1,921.9	スイス
14	野村證券	444.4	日本	39	コカ・コーラ	215.0	米国	14	ロイヤル・ダッチ・シェル	2,899.7	英国	39	AT&T	1,911.9	米国
15	新日本製薬	414.8	日本	40	ウォルマート	214.9	米国	15	中国工商銀行	2,870.7	中国	40	HSBCホールディングス	1,873.8	英国
16	AT&T	381.2	米国	41	三菱地所	214.5	日本	16	サムスン電子	2,842.8	韓国	41	チャイナ・モバイル	1,786.7	香港
17	日立製作所	358.0	日本	42	川崎製鉄	213.0	日本	17	ウェルズ・ファーゴ	2,735.4	米国	42	LVMHモエ・ヘネシー・ルイ・ヴィトン	1,747.8	フランス
18	松下電器	357.0	日本	43	モービル	211.5	米国	18	ウォルマート	2,598.5	米国	43	シティーグループ	1,742.0	米国
19	フィリップモリス	321.4	米国	44	東京ガス	211.3	日本	19	中国建設銀行	2,502.8	中国	44	中国農業銀行	1,693.0	中国
20	東芝	309.1	日本	45	東京海上火災保険	209.1	日本	20	ネスレ	2,455.2	スイス	45	メルク	1,682.0	米国
21	関西電力	308.9	日本	46	NKK	201.5	日本	21	ユナイテッドヘルス・グループ	2,431.0	米国	46	ウォルト・ディズニー	1,661.6	米国
22	日本長期信用銀行	308.5	日本	47	アルコ	196.3	米国	22	インテル	2,419.0	米国	47	ペプシコ	1,641.5	米国
23	東海銀行	305.4	日本	48	日本電気	196.1	日本	23	アンハイザー・ブッシュ・インベブ	2,372.0	ベルギー	48	中国平安保険	1,637.7	中国
24	三井銀行	296.9	日本	49	大和証券	191.1	日本	24	シェブロン	2,336.5	米国	49	トタル	1,611.3	フランス
25	メルク	275.2	米国	50	旭硝子	190.5	日本	25	ホーム・デポ	2,335.4	米国	50	ネットフリックス	1,572.2	米国

図1.2.1 平成30年間の世界企業の時価総額ランキングの推移[2]

のは、産業構造の変化への対応が遅れ、旧態依然としている金融システムの構造にあると考えられる。

　最初に産業構造の変化について述べる。平成日本の30年がどのようにして失われていったかについては、技術革新にともなう産業構造の変化とこれに対応できていないことに起因する。

　第二次世界大戦後の日本は工業化の道を選択し、農業を犠牲にして工業化を図った。すなわち、農地を工場に転換したのである。このことは、食料自給率の低下を意味しており、実際、カロリーベースの食料自給率は、1965年の73％から2019年の38％まで、約50年で半減している（**図1.2.2**）。また、国際比較でも先進国で最低水準にある（**図1.2.3**）。

　このように日本では、農業社会から工業

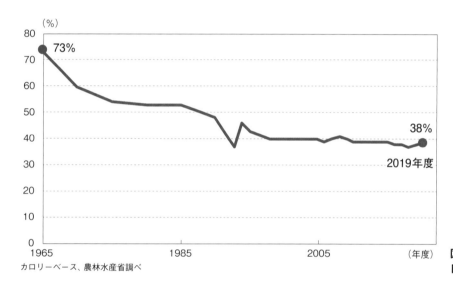

カロリーベース、農林水産省調べ

図1.2.2　カロリーベースの日本の食料自給率の推移

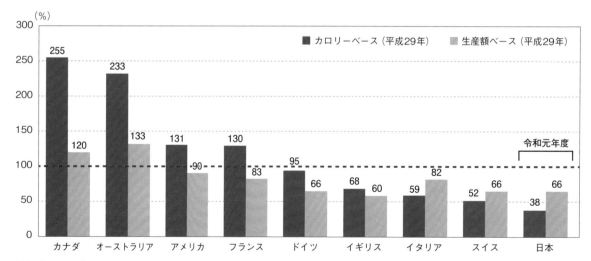

資料：農林水産省「食料需給表」、FAO"Food Balance Sheets"等を基に農林水産省で試算（アルコール類等は含まない）
注1：数値は暦年（日本のみ年度）。スイス（カロリーベース）およびイギリス（生産額ベース）については、各政府の公表値を掲載
注2：畜産物および加工品については、輸入飼料および輸入原料を考慮して計算

図1.2.3　食料自給率の国際比較

社会、そして情報社会へと、産業構造の変化とともに社会が急速に変化した。1960年の第1次／第2次／第3次産業別就業人口の割合は32.7%／29.1%／38.2%だったが、1995年には6.0%／31.8%／62.2%へと急速に変化し、2010年には4.2%／25.2%／70.6%となった（**図1.2.4**）。

産業構造の変化にともない、現代日本の就業人口の割合は、70%以上を第3次産業が、約25%を第2次産業が占め、第1次産業は4%程度である。産業構造の急激な変化とともに、円高、ドル安が進み、日本の大企業を頂点とするピラミッド型の製造業では、日本の工場を海外移転する動きが加速した。

また、かつて輸出産業を牽引した家電、半導体、通信機は一気に減速し、現在、国際競争力を維持しているのは自動車産業と素材産業のみである。しかも、これらの産業の多くの工場が海外移転したために、大企業の下請け構造に組み込まれてきた中小製造業の衰退も加速した。この結果、特に地方において高度知的人材の雇用が減少し、平成年間には首都圏への人口流出が続いた。

さらに、地方の中小企業に資金を提供してきた地方銀行は、平成年間に、生産年齢人口の減少（**図1.2.5**）とともに貸出量が減少し、平成年間における低金利（**図1.2.6**）も拍車をかけて、企業への融資が減少の一途を辿った。

金融機関のビジネスモデルは、低金利の

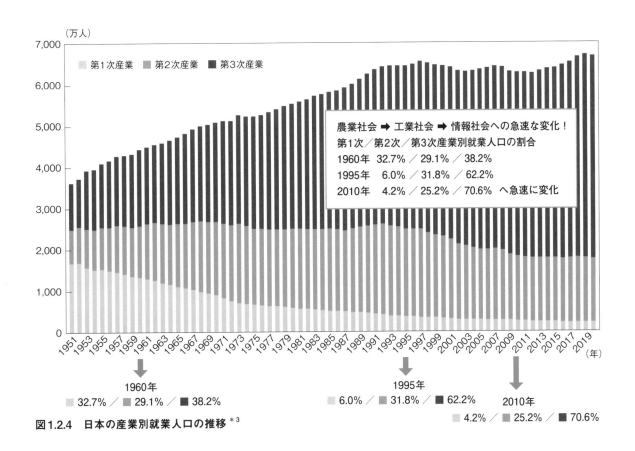

図1.2.4　日本の産業別就業人口の推移 [3]

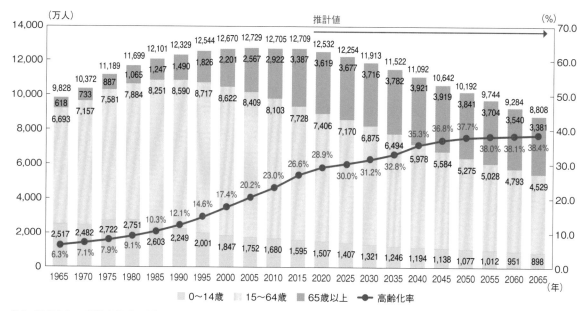

出典：2015年までは総務省「国勢調査」（年齢不詳人口を除く）、2020年以降は国立社会保障・人口問題研究所「日本の将来推計人口（平成24年1月推計）」（出生中位・死亡中位推計）

注：昭和40（1965）～平成26（2014）年は、各年『人口推計年報』等による。平成27（2015）年は、総務省統計局『平成27年国勢調査の年齢・国籍不詳をあん分した人口（参考表）』による。昭和46（1971）年以前は沖縄県を含まない

図1.2.5　日本における年齢区分別人口の推移と予測

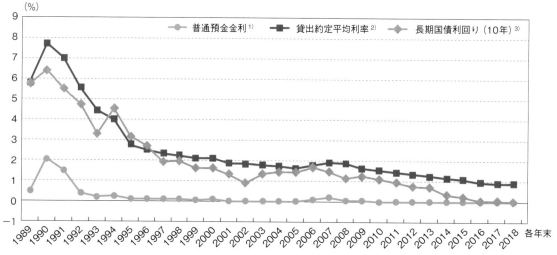

1）1989～1994年10月16日は日本銀行のガイドライン利率
　　1994年10月17日（普通金利などの金利自由化）以降は月末営業日を含む週間平均レート
2）ストック分の総合の末値
3）1997年以前は東証上場国債10年物最長期利回り、1998年以降は新発10年国債流通利回りのそれぞれの末値
出典：矢野恒太記念会『数字でみる日本の100年』

図1.2.6　金融機関ビジネスに構造変化をもたらした金利の推移

中、資産が増加する一方で、資金が有効活用されていないのが現状である。

具体的には、銀行の総資産は2009年以降、急速に伸びている。1990年代後半〜2000年代前半はバブル崩壊による不良債権処理の影響で横ばいで推移していたが、ひと通りの処理が終わり、今では都市銀行・地方銀行・第二地方銀行をあわせて1300兆円ほどの総資産を保有している（**図1.2.7** 全国銀行協会 加盟行）。**図1.2.8**に都市銀行と地方銀行の収益構造の推移を示すが、特に地方銀行は都市銀行と比較して、その他の収益を創出できていないことがわかる。

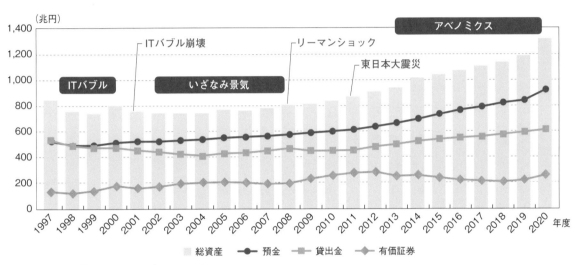

出典：全国銀行協会「財務諸表分析資料」を参考に作成

図1.2.7　全国銀行協会加盟行の総資産状況（全銀行）

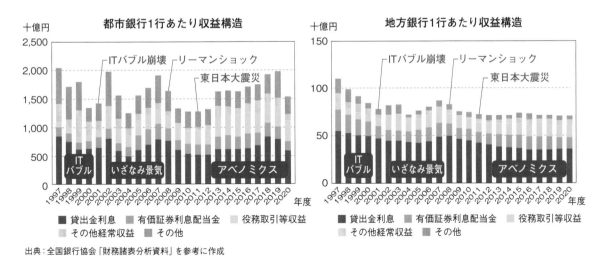

出典：全国銀行協会「財務諸表分析資料」を参考に作成

図1.2.8　都市銀行と地方銀行の収益構造の推移（1行あたり）

失われた平成の30年における
デジタル化への遅れと一極集中

　以上で述べたように、「失われた平成の30年」とは、社会構造の変化によるものであるが、その根本原因は「デジタル化への遅れ」と「一極集中」にあると考えられる。

　「デジタル化への遅れ」については、平成の30年間は、デジタル化をともなわない変化であったと考えられる。第3次産業革命、すなわちデジタル情報革命が世界を席巻したにもかかわらず、平成の日本はこれを製造業だけのチャンスであると捉え、「電子立国日本」の延長線でしか考えていなかったのである。換言すれば、日本における情報社会への変化は、デジタル化をともなわない産業構造の変化であったと言える。

　デジタル化した国家のGDPはこの30年間で大きく伸長したが、日本のGDPはほとんど変化していない（**図1.2.9**）。デジタ

ル化の本質はソフトウェアにあるが、これらに関心を示さず、平成の日本は世界の潮流としてのデジタル情報革命に乗り遅れ、金融機関も工場設備などへの資金提供が主体で、結果的に製造業の中でも「付加価値化」よりも「製造」中心の産業構造が機能不全に陥り、国際競争力を失っていった。

　そもそもデジタル化とは、行政機関、金融機関、企業、学術教育機関で発生する情報を紙ではなくデジタル情報として記憶し、流通させ、再利用することを意味する。特に、情報の流通と再利用のためには、デジタル情報を扱うコンピューター・ネットワークシステム（インターネット）の相互接続性と相互運用性が極めて重要となる。

　しかし、平成日本の30年間の間に、紙からデジタル情報への移行も、コンピューター・ネットワークシステムへの移行も、欧米、中国、シンガポール、台湾、韓国、オーストラリア、ニュージーランド等と比

		1994年		2014年		増減	
日本	●	4.85	(38771)	4.59	(36156)	3.4%減	(6.6%減)
米国		7.30	(27755)	17.35	(54360)	2.4倍	(1.96倍)
ドイツ		2.21	(27116)	3.87	(47716)	1.75倍	(1.76倍)
英国		1.14	(19743)	2.99	(46313)	2.6倍	(2.35倍)
フランス		1.40	(24398)	2.83	(44288)	2.0倍	(1.82倍)
中国		0.56	(471)	10.40	(7626)	17.8倍	(16.2倍)
韓国		0.46	(10207)	1.40	(27970)	3.0倍	(2.74倍)
オーストリア		0.204	(25688)	0.438	(51433)	2.15倍	(2.0倍)
ハンガリー		0.043	(4148)	0.137	(14006)	3.2倍	(3.38倍)
イスラエル		0.084	(15599)	0.305	(37222)	3.6倍	(2.39倍)
スウェーデン		0.226	(25647)	0.571	(58590)	2.5倍	(2.18倍)

GDP：単位＝兆USドル（一人当たりGDP＝単位USドル）

図1.2.9　インターネット商用化前後20年のGDPの国際比較 [4]

較すると極めて遅れてきた。

　次に、「一極集中」について述べる。これは、首都圏と大企業への一極集中のことである。

　まず、首都圏への一極集中については、第1次・第2次産業が衰退し、第3次産業の比率が増大する中で、人口の首都圏一極集中が加速した。結果として、現在、首都圏に人口の3分の1近くが、そして経済の半分が集中している（**図1.2.10**）。これは、約38万km²の国土の大半を活かしていな

いことを意味している。この歪んだ状況を打開するための地方創生は、日本における最重要課題の1つであり、後述の通り、2014年に法制度化されて以降、ほとんど進展が見られていない。

　安倍政権が2017年に打ち出したキャッチフレーズに「一億総活躍社会」があったが、これは、現在が「一億非活躍社会」であることを意味している。その課題は、大企業への一極集中、具体的には、人材とビジ

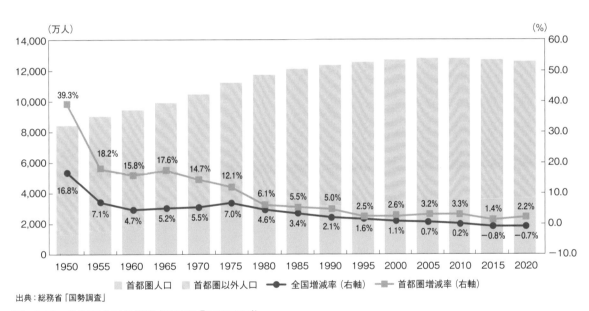

出典：総務省「国勢調査」

図1.2.10　首都圏人口の推移（総務省「国勢調査」）

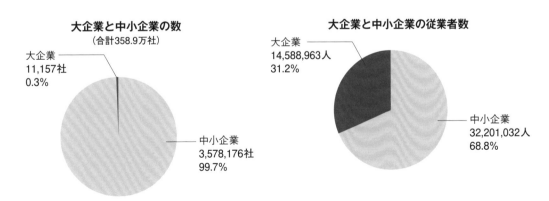

出典：平成28年経済センサスー活動調査

図1.2.11　大企業と中小企業の比較

ネスチャンスの一極集中である。これに対
する中小企業の定義は、中小企業基本法に
おいて次の通り定められている。

<中小企業の定義>
◎ 製造業の場合：
資本金3億円以下
または従業者数300人以下
◎ 卸売業の場合：
資本金1億円以下
または従業者数100人以下
◎ 小売業の場合：
資本金5千万円以下
または従業者数50人以下
◎ サービス業の場合：
資本金5千万円以下
または従業者数100人以下
「中小企業基本法」による

　企業数と従業員数は、圧倒的に中小企業
の方が多い。「一億総活躍」を実現するには、
人材とビジネスチャンスの両面で「大企業
への集中」から「中小企業への分散」を図る
ことが、地方創生および日本全体の最重要
課題である。

1.2.3
フィンテックの台頭とコロナ後の
金融ビジネスの構造変化

　失われた平成の30年を経た令和日本を
コロナ禍が襲った。デジタル化対応を怠っ
ていた日本は、特別定額給付金や持続化給
付金支給などで経済が混乱し、機能不全に
陥るかに見えたが、デジタル庁の創設など、

一気にデジタル化への気運が高まってい
る。その象徴的な出来事が、三密回避のた
めのワークスタイルとライフスタイルの変
化である。仕事は自宅でするテレワークと、
実店舗に行かずに買い物をするEコマース
が急速に広まっている。これらは、ポスト
コロナ社会の到来を予感する「人が移動す
る社会」から「モノが移動する社会」への変
化である。

　金融の世界にもコロナ禍は大きな変化を
もたらした。"三密回避"のために、金融機
関での店舗営業は大きく衰退し、ネット金
融への転換が加速している。

　また、遅れていたデジタル化が金融分野
でも加速している。従来の金融は**図1.2.12**
に示すように、企業会計と家計をつなぐ「銀
行」「証券」「保険」の3つであり、店舗を構
えた対面サービスが中心であった。そこへ、
コロナ禍により、デジタル情報革命の波が
加速している。デジタル技術と金融とが融
合した「フィンテック」分野が成長を見せ
ている。

　フィンテックが成長する背景には、コロ
ナ禍の以前から、**図1.2.13**に示すように、
ゼロ金利時代の到来とともに消費者の「貯
蓄から投資へ」の変化が起こり、借り手と
貸し手のニーズが明確になってきたことが
ある。リーマンショックの直後、クレジッ
トカード上の債務の借り換えニーズが高い
にもかかわらず、金融機関が個人融資に対

Coronavirus **COVID-19**

図1.2.12　従来の金融サービス[5]

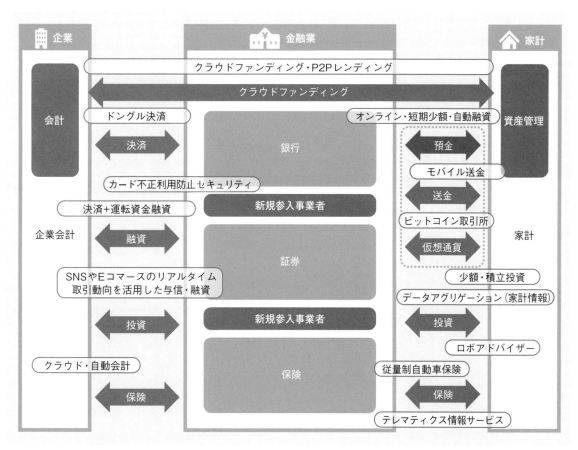

図1.2.13　業種の壁を超えて拡大するフィンテックサービス[5]

- ●貯蓄から投資への時代へ：借り手／貸し手のニーズが明確
- ●クレジットカード上の債務の借り換えニーズが高いにもかかわらず、リーマンショックで金融機関が個人融資に対応できなかった
- ●現在の典型的なフィンテックサービスを分類

  融資、貯金、家計簿・会計ソフト、資産運用、決済、モバイルPOS、PFM（Personal Financial Management、個人のお金に関わる情報に関する統合管理）、銀行インフラ、ロボアドバイザー（AI活用投資助言サービス）、仮想通貨（特殊なバーチャルコミュニティで流通する電子マネー）、マーケットプレイス・レンディング（資金の貸し手と借り手の仲介サービス）等

  > ➡フィンテックサービスは、ネット・ユーザーに対して、既存金融機関によるサービスとは異なる、新たな価値を提供
  > ➡先進的な消費者に加えて、個人事業主、中小企業を中心にビジネスの分野での利用が急拡大

図1.2.14　フィンテック・サービスが成長する背景

応できなかったために、ニーズに応える新興テック企業による金融サービスが始まった。これがフィンテックの起源である。

フィンテック・サービスは、融資、預金、家計簿・会計ソフト、資産運用、決済、モバイルPOS（Point Of Sales、販売時点情報管理）、PFM（Personal Financial Management、個人資産管理）、銀行インフラ、ロボ・アドバイザー（AI活用投資助言サービス）、暗号資産もしくは仮想通過や特殊なバーチャルコミュニティで流通する電子マネー、マーケットプレイス・レンディング（銀行等の金融機関を介さず多数の借り手と貸し手をネット上のプラットフォームで結び付ける金融の仕組み全般）等に分類される。

フィンテック・サービスは、ネット・ユーザーに対して既存金融機関によるサービスとは異なる新たな価値を提供することで、先進的な消費者を増やし、ビジネス分野では、個人事業主、中小企業での利用が急拡大する見込みである。

金融機関利用者から見ると、フィンテクのテクノロジーは、①利便性の向上、②安全性の向上（信用）、③低コスト化という3つの価値を創出する。また、金融機関からは、①新技術導入による新ビジネスモデルの創出、②セキュリティの向上、③コストを上回る付加価値の創出を促す。

さて、失われた平成の30年を経験した地域金融機関は、現在、大きな変化の時代を迎えている。地域金融機関がコロナ禍を乗り越えて生き残るには、従来の金融サービスをアンバンドリングし、あえて過去のバリューチェーンを破壊することで新しい仕組みを自らが提供し、顧客と事業を守り、新規顧客を獲得する必要がある。すなわち、既存のビジネスに依存するのではなく、それを上回る新ビジネスを創出できるビジネスモデルへ転換することが重要である。

フィンテックとは、Finance（金融）×Technology（技術）の融合を意味するが、よりテクノロジーの要素が強い。金融機関がフィンテック企業になるか、テック企業が金融機関になるかという問いに解はない。今後、一気にフィンテックによる金融のデジタル化が起こることは確実だろう。

1.2.4
地域金融のデジタル化と地方創生

地方創生を考える時、グローバルな視点によるローカルの取り組みが重要である。世界のデジタル文明はインターネット／モバイル／ソーシャルで構成され、2018年、ついにインターネットユーザーが世界人口の過半数を超え、2019年には57%、モバイルが67%、ソーシャルメディアが45%となったことを強調したい。

産業革命以後のテクノロジーの中で、ここまで急速に普及したものはデジタル以外にはない。今後、デジタル文明は、100%カバレッジへ向けて世界中を覆いつくすものとなろう（**図1.2.15**参照）。

すでに述べたように、「失われた平成の30年」の間に、組み立て製造業は国際競争力を失った。同時に、自動車産業等の国際競争力を維持している企業も、工場の海外移転を余儀なくされた。したがって、大企業からの下請け型ビジネスを主として行ってきた国内の中小企業は衰退し、地域金融機関の貸出量の減少が続いている。

現代日本の、首都圏と大企業への「一極集中」という課題に対して、SDGsの基本概念の「誰一人取り残さない」を定着化させることの重要性を強調したい。日本は2014年以来、「地方創生」を政策目標として掲げているが、それが進まない理由として、後述する6つの分断がある。そこで、この局面を打開する具体策として、「地域金融のデジタル化」と「中小企業のデジタル化」を行い、そのために、地域金融を担う地銀のフィンテック企業への転換と、中小企業のオープンイノベーションによる脱下請けのための独自技術の取得を強力に推進することを提言する。

デジタル文明のドライビングフォースは3つ	
➡**インターネット**：世界人口の過半数を超え急増	**57%**
➡**モバイル**：（電話 → インターネットへ）	**67%**
➡**ソーシャルメディア**：	**45%**

上記の3つの要素からなる
デジタル人口は
産業革命の恩恵を
初めての100%普及へ向かう！

➡**誰一人取り残さない
SDGsへ**

SUSTAINABLE
DEVELOPMENT GOALS

図1.2.15　デジタル文明の3つのドライビングフォース[6]

ポストコロナ社会に向けての地方創生は、①地方創生は日本経済にとって最重要テーマであること、②地方に存在する多くの分断をSDGsによって克服すること、③地方創生を真に担うのは産業のデジタル化に取り組む地域金融機関と中小企業であることの3点に集約される。

次に、今後のポストコロナ社会に向けて取り組むべきデジタル化について述べる。

これまでは、日本経済の首都圏への一極集中に対応し、大手町を中心としたデータセンターへの設備投資が行われてきた。しかし、日本経済にとって次なるチャレンジは、「地方と中小企業のデジタル化」であり、奇しくもコロナ禍はテレワークを加速し、首都圏のリアルなオフィス空間の価値の見直しが始まっている。その意味で、コロナ禍がもたらしたテレワーク社会とは、換言すれば、ワークスタイルの変化にともなう地方への人口分散の可能性を提示している。実際に2022年2月の総務省の発表で、2021年に東京23区の人口転出が初めて転入を上回っていたことが明らかになった。

地方創生のコンセプトは、「国民一人ひとりが夢や希望を持ち、潤いのある豊かな生活を安心して営める地域社会の形成」である。「まち・ひと・しごと創生法」には、「東京一極集中を是正し、地方の人口減少に歯止めをかけ、日本全体の活力を上げることを目的とする」と述べられている。本法律は、2014年に成立したもので、フィンテックも同年に始動している。また、地方創生のために、①高度データ分析が可能なRESAS（リーサス、地域経済分析システム、地方創生の様々な取り組みを情報面から支援するために、経済産業省と内閣官房〔まち・ひと・しごと創生本部事務局〕が担当）を提供する等「情報支援」の矢、②地方創生カレッジ事業、地域活性化伝道師、地方創生人材支援制度等の人材育成・派遣による「人材支援」の矢、③地方創生関係交付金、企業版ふるさと納税等「財政支援」の矢がそれぞれ用意されている。このように、情報・人・カネに関する3つの矢を政策の柱としているのが特徴である。

さて、ここで、2014年から始まった地方創生活動でもなかなか成果を上げられなかった理由として、①「官民の分断」、②「縦割り組織の分断」、③「現在と未来の分断」、④「地域間の分断」、⑤「世代の分断」、⑥「ジェンダーの分断」という6つの分断の存在があると考えられる。

①については、住民側は「それは行政の仕事」と決めつけ、行政側も「それは民間の仕事」と結論づけてしまうことが多々ある。②については、複数分野にまたがる課題に関して、官民両側で起こる。③については、短期的な成果のみを追求する姿勢がもたらす弊害である。④については、過剰な返礼品によるふるさと納税での過剰な奪い合い等が有名である。⑤については、長老による若者の排除等である。⑥については、適任でも女性を指導者にしないこと等である。この分断の解決策こそが、SDGsであると考えられている[7]。

「失われた平成の30年」の象徴とも言える「一極集中」を解消するためには、地域金融と中小企業のデジタル化が重要である。地域金融のデジタル化とは、従来の金融ビジネスモデルを根本的に刷新し、フィ

ンテック・サービスを提供することである。そのためには、従来のベンダー主導の情報システムを見直し、ユーザー主導のシステムを自らがフィンテック企業とともに構築することが重要である。こうして、新たにデジタル化された世界を構築すれば、地域金融機関はベンダーに束縛されずに新サービスをタイムリーに投入できる。また、個人レベルの与信管理等も高精度に実行することが可能となる。さらに、地域金融機関の預金者などの個人や中小企業に対しても、きめ細かいオーダーメードの金融サービスの提供が可能となる。

　また、中小企業のデジタル化は、従来型の大企業を頂点とするピラミッド型の産業構造の転換を意味している。従来型の取引関係では、大企業だけに顧客情報と基本技術が集中し、中小企業には作業の一部だけが回るという構造であった。これは、大企業が供給者側の論理で作り上げたバリューチェーン構造で、ユーザーにとってもメリットが見えなくなってきている。

　今後起こる新たな産業革命は、「産業のデジタル化」（DX）であり、最終ユーザーとサービスや部品などを提供するあらゆる企業がネットワークで相互接続され、協働し、レジリエント（強靭）なサプライチェーンの構築を意味している。そのために、中小企業は、担当分野の技術を自社技術として確立する必要がある。

　ここで重要となる新たな潮流が「オープンイノベーション」である。中小企業は地域の大学や都道府県の工業技術センターと連携するとともに、専門技術を有する中小企業同士で連携し、自社技術の確立とその技術に基づくビジネスへと転換する必要がある。そして、その拠点となるのが、グローバルなネットワーク接続環境が整備された地域データセンターである。その意味で、北海道ニュートピアデータセンター構想は、新たな日本の時代を切り拓く可能性を秘めている。

▼ 引用・参考文献等

*1 ここでフィンテックとは、インターネットを前提としたインターネット・ネイティブな金融サービスをもたらす潮流であるとともに、特に、大容量・高速・低遅延のインターネット・データセンターの利用を前提としている。
*2 米『ビジネス・ウィーク』誌 1989年7月17日号、同2018年7月20日号
*3 総務省「労働力調査」
*4 『日本はなぜ負けるのか』（2016年11月インプレスR&D）藤原洋著
*5 経済産業省経済産業政策局FinTech研究会
*6 『SDGsの本質』（2020年7月、中央経済社）御友重希，横田浩一，原 琴乃 編著
*7 サイト「SDGs de 地方創生（https://sdgslocal.jp/local-sdgs/ 特定非営利活動法人イシュープラスデザインが運営）」より

研究教育ネットワーク
REN, Research and Educational Network

村井 純　Jun Murai

慶應義塾大学 教授 WIDEプロジェクト Founder

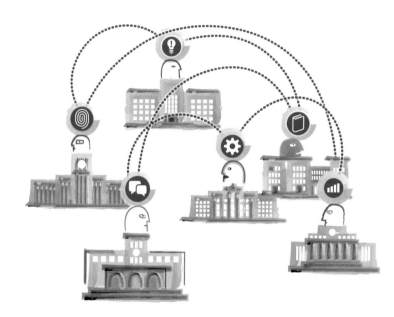

REN, Research and Educational Network

インターネットの歴史は、世界の研究者コミュニティにおける議論や研究成果がコンピューターネットワークを発展させ、インターネットの普及を科学と学問という人類共通の目的で牽引し、インターネット文明、デジタル社会の形成を先導してきた事実とともにある。

本節では、そうした研究教育ネットワークの視点で、インターネットの誕生から今日に至るまでの流れを概説するとともに、今後構築される国際光海底ケーブルが、研究教育ネットワークにとってどのような意味を持ち、何が期待されるのかを詳説する。

1.3.1

RENの起源

与えられた計算をするだけの機械だったコンピューターが相互に接続され、コンピューターネットワークを形成するようになった背景には、オペレーティングシステムにおける2つの構造的な発展があった。一つはマルチユーザー化であり、もう一つはそれにともなうマルチプロセスのスケジューリング機能、すなわち、時分割システム（TSS）である。

CPUを時分割してプロセスに割り当てるTSSにより、接続されたコンピューターシステムは、それぞれのコンピューターでの処理と同時に行われるネットワークコミュニケーションの機能を並列的に処理することができるようになった。また、マルチユーザーとしてコンピューターを共有する利用者は、計算機能のユーザーであると同時に、電子メールやファイル転送などの機能を利用して、より広い研究者間コミュニケーションと活動が可能となった。コンピューターネットワークは、分散処理としての目的、すなわち、耐故障性や並列処理によって技術的には発展したが、研究者コミュニティの遠隔形成という社会的な目的にも大きく貢献してきた。

こうして、研究を行う大学では教育に大きく貢献することとなり、大学や研究所を中心に、研究教育ネットワークとして急速に発展を遂げた。

1.3.2

研究教育ネットワークの分類

研究教育ネットワークは、その目的によって3つに分類することができる。第一に、コンピューターネットワークの研究開発を実証的に行うためのテストベッドネットワークである。古くはARPANET[1][2]が、パケット交換装置のテストベッドとして運用された。総務省系の国立研究所である情報通信研究機構（NICT）が運用するJGN[3]は、ネットワーク研究者に提供されている研究テストベッドネットワークである。テ

ストベッドネットワークは、そのテストベッドの研究課題を対象に、遠隔地の研究者を結ぶ研究者コミュニティの議論や、研究成果を共有するネットワークとして利用されるようになる。これが第二の分類となる研究ネットワークである。UNIXオペレーティングシステム間のネットワークであるUUCPをダイヤルアップ（必要に応じてモデムを介して音声電話を発信する機能）回線上に展開するUSENET[4][5]は、そのコミュニティをつなぐ電子掲示板と電子ニュースを発展させた。わが国では1984年に、UUCPを利用した実験ネットワークJUNET[6][7]がテストベッドネットワークとして発生し、やがて全国の大学や研究所をつなぐ研究者コミュニティのためのネットワークとして発展した歴史がある。同様に、オーストラリアではSUNET（MHSnet）[8][9][10][11]、イギリスではJANET[12][13]などが発展した。

大学間や研究所などで相互接続する研究ネットワークは、テストベッドネットワークを起源とせず、BITNET[14][15]やDECnet[16]のようにコンピューターベンダーが提供するユーザーグループとして発展するケースもある。そこでは必然的に、研究者間の研究や大学での教育に利用されることになる。これは第三の分類、研究教育ネットワークという形態に発展した。

研究教育ネットワークは、それぞれがダイヤルアップを用いたUUCPが使われたり、IBMのプロトコルを用いたBITNETなど、独自のネットワーク構造でバラバラに発展していた。

1.3.3

インターネット誕生前夜

米国のARPANETにおいて研究者コミュニティのために開発されたアプリケーションは、電子メール、電子掲示板およびファイル転送であった。これらの機能は、UUCPネットワークにも、BITNETにも、当然のように別々に開発された。しかし、これらはユーザーにつけられたメールアドレス、ファイル転送のためのコンピューターの名前、電子掲示板のカテゴリのカタログといったシンプルな構造だったため、その相互接続は容易であった。

わが国のJUNETも、KDD研究所が提供するパケット交換を用いた国際接続を利用し、電子メールと電子ニュースをUUCPネットワークやARPANETコミュニティのアプリケーションから変換し、情報を流通させることができた。これが、アカデミズムによるグローバルネットワークの始まりであった。

こうした中で、ウィスコンシン大学のラリー・ランドウェバー（Lawrence Landweber）教授らは、各国バラバラに開発されていた研究者ネットワークを相互につなぐためのネットワークの提案を計画するために、（有名な）のちの世で「ランドウェバーミーティング（International Academic NetWorkshop）[17]」と言われる国際的な会合を定期的に開催するようになった。相互に接続すると言っても、当面の対象は電子メールと電子掲示板であり、これらを相互接続するというアプリケーション間接続から始まった。この

グループからの提案は、米国のNSF（国立科学財団）によって支援されることとなり、CSNET[18][19]の開発と研究が行われた。その成果として実際の国際相互接続を行うことができるようになった。わが国は、ラリー・ランドウェバー教授とデイブ・ファーバー（David J. Farber）教授の招待により参加したCSNETのリーダーたちと連携し、JUNETの電子メールと電子ニュース（掲示板）を、東京大学のCSNETゲートウェイを介して相互接続した。日本の情報は世界からアクセスでき、また、JUNETの参加者はARPANETをはじめとする世界のコミュニティと自由に情報交換ができるようになった。

1.3.4

インターネットの誕生

ランドウェバーミーティングやCSNETのコミュニティは、各国の研究ネットワークを代表するメンバーとなっていた。これらの有志で、相互接続の実態を電子メールと電子ニュースに限定せず、様々なアプリケーションに展開するために、基盤プロトコル（レイヤー3）を決めようということになった。プロトコルの候補としては、XEROXがPARCで展開していたXNS、そしてIPを用いていたARPANETのプロトコルスタックが主な候補であった。BITNETやその他のプロトコルは、オペレーティングシステムを選ぶという観点から、最終的にはTCP/IP[20][21]を採用することが決まった。これを力強く後押ししたのは、カ

リフォルニア大学バークレー校がほぼオープンソースの状態で世界の研究教育機関に提供していたBSDである。このUNIXオペレーティングシステムにおいて、TCP/IPをカーネル内に、その他のARPAのアプリケーションをユーザー空間に配置して開発されたのが、バークレーで完成されたDARPAのネットワークオペレーティングシステムである。この4.2BSDがBSDのコミュニティに配布されたその時こそ、グローバルなインターネットの誕生である。

インターネットは極めて急速に世界の研究教育ネットワークの相互接続を実現し、IETF[*22]において、プロトコルの拡張や展開が関連技術者によって行われてきた。わが国は、WIDEプロジェクト[*23][*24][*25][*26]によって、JUNETのコミュニティを中心に展開していた専用線IPネットワークであるWIDEインターネットを用いて、米国のNSFNET[*27][*28]と常時接続を開始した。さらに、東京大学で展開されていた高エネルギー物理学や様々な理学部系のネットワーク[*29]とWIDEプロジェクトは、ともに米国のNSF、DoE(エネルギー省)、NASA(航空宇宙局)と連携して、ハワイ大学を拠点とするPACCOM[*30][*31]のプロジェクトを開始した。WIDEプロジェクトのインターネットは、元がJUNETのコミュニティで展開していたため、様々な地方のネットワークコミュニティを相互接続するのに時間を要しなかった。特に北海道地区には、JUNETの時代からすでにNORTH[*32]のグループがあり、中国・四国地区にはCSI[*33]があった。これらはWIDEプロジェクトのインターネットとしてIPで常時接続を果

たすこととなり、わが国のインターネットの展開はこのようにスムーズに展開した。

1.3.5

大陸間ケーブルを用いた、REN間接続

多くの国では、国内の研究ネットワークを結ぶ研究教育ネットワーク、National Research and Educational Network(NREN)が発展していた。インターネットに目覚めた研究教育担当の政府部門、特に北米、ヨーロッパ、日本などでは順調に発展していた。こうした中、米国のNSFは、大西洋と太平洋を跨ぐ各々の対岸との大陸間接続に予算をつけ、協調して国際間接続を開始した。わが国では、学術情報センター(現在の国立情報学研究所:NII)が運営するSINET[*34]とWIDEプロジェクトが参加した研究教育ネットワークのコーディネーショングループであるCCIRN[*35]に、オランダのSURFnet[*36][*37][*38]、カナダのCANARIE[*39]など、各国の有力なNRENが参加する会議が行われた。NRENの責任者は、基本的に政府の研究教育ネットワークの責任者である。CCIRNとその運用者のグループIEPG[*40][*41]は、合同の会議を開催する形で行われていた。したがって、わが国からは、CCIRNにSINETの責任者が参加し、IEPGにはWIDEプロジェクトが参加していた。

一方、インターネットの急激な発展は、商用での運用の要求を増大させた。米国の商用UUCPサービスのUUNET[*42]が、IPを用いたインターネットであるAlterNetを開始した。同時期に、わが国ではWIDE

プロジェクトから商用インターネットのIIJ[*43]を発足させるなど、90年代前半は商用インターネットが世界で台頭する時期となった。IEPG、すなわち、各国の研究教育ネットワークを運用しているグループは、この商用と研究教育が融合したインターネットを実質的に運営するグループになる。商用のトラフィックと学術系のトラフィックとを区別するという考え方は、オペレーターにはなかったのである。

　一方、政府のNRENの資金源は公共の予算であるため、商用のトラフィックにその資源を使うことはできない。こうした背景から、公的資金の目的外利用を制限する利用方針、Acceptable Use Policy（AUP）というルール設定が強く行われるようになった。結果としてCCIRNは、政府ベースのNRENの連携、IEPGはインターネットの一般的な運用グループへと分裂をすることとなった。以後、政府系の研究開発ネットワークとインターネットそのもののオペレーションは、独立して発展することとなる。

1.3.6

日本のREN

　わが国のインターネットは、研究者コミュニティによって構築されるWIDEプロジェクトのWIDEインターネット、学術情報センター（現国立情報学研究所）が運用するSINETによって全国展開を行い、NICTが提供する情報通信技術のためのテストベッドであるJGN、農林水産省の国際接続を担うMAFFIN[*44]、高エネルギー物理学の研究ネットワークであるHEPnet-J[*45]、国立天文台のネットワークであるNAOJネットワーク[*46]など、目的別かつ予算別にネットワークが発展し、これらが強く連携し、諸外国に比べて自律的かつ協調的な学術教育ネットワークを形成することができた。こうしたわが国のネットワークは、様々な方法で協調し、国際的な研究教育ネットワークと相互接続を実現している。

　AI3[*47]は、東南アジアのほとんどの国の有力理系大学において、各国のインターネットインフラストラクチャが成立する前から、人工衛星を用いた新しいタイプのインターネットとして展開したネットワーク研究プロジェクトであった。人工衛星を用いたインターネットの構造は、ARPANETの時代にSATNET[*48][*49]として試みられたことがあったが、衛星の持つブロードキャスト特性を活かした国際標準プロトコルによるネットワークは、AI3が世界最初であった。

　地表や海底ケーブルなどのインターネットがまだ発展途上であった東南アジアにおいて、衛星からの直接接続を片方向で実現したインターネットは、当時開始したばかりの映像の転送を安定して供給することができたため、AI3はそのパートナープロジェクトとしてSOI Asiaプロジェクト[*50]を開始し、各大学に遠隔教育を提供する教育基盤ネットワークと連携しながら発展を遂げていた。

　一方、わが国を形成しているSINET、JGN、MAFFINなどは、国際接続を協調的

に進めてきた。重要なそれぞれの国際接続を補完的に接続し、研究ネットワークとして展開するWIDEプロジェクトと国内のいくつかのインターネットエクスチェンジ（IX）で相互接続をすることで、その他の専門領域のHEPnet-JやNAOJネットワーク、MAFFINともつながる連携運用を行っている。APAN-JPと呼ばれるこの連携は、アジアでのAPAN[51]のコミュニティの一部としてヨーロッパのGÉANT[52]やアメリカのPacific Wave[53]、CENIC[54]、オーストラリアのAARNet[55]、韓国のKREONET[56]などと連携し、日本の研究者の国際的な研究活動に貢献している。

1.3.7
グローバルネットワーク・インフラストラクチャとアカデミズムの関係

　研究教育ネットワークの国際接続に関する特徴は、様々な形で資源の共有を行うことである。目的が研究と教育であるため、相互に協力し、リソースを共有することに大きな抵抗がない。そのため、新しい形の協調が生まれてきた。特に、光海底ケーブルの2芯ファイバーペアに投資するというアプローチが、ヨーロッパやオーストラリアを中心に実行されてきた。参考までに、現在の両端の機器の技術で、100Gbpsが180本ぐらい確保できる転送能力がある。こうしてできたEUのGÉANTとアジア各国を結ぶCAE-1[57]は、複数のRENが両端でファイバーペアを共有し、非常に広帯域の国際接続を実現している。つまり、研究教育ネットワークが、海底ケーブルの投資のコンソーシアムに参加するというスタイルである。

　北極海のケーブルの計画は、カナダのArctic Fibre社（現Quintillion Subsea Holdings LLC）が2010年に計画を開始し、日本との連携を試みることから始まった。海底ケーブルへの投資は、巨額の投資を双方で行うことから、長期にわたる投資のモデルを実現しなければならない。特に、わが国では、国の資金で研究教育ネットワークに投資することは難しい。それが原因ではないが、結果として日本側の資金調達が実現しなかったために日本まで到達しなかったArctic Fiberは、アラスカまでで計画が停止している[58]。この計画における日本にとっての魅力は、米国東海岸への直接接続であったが、西海岸へのケーブルが豊富にあったために資金調達が難しく、このことも日本と接続できなかった要因の一つである。

　一方、フィンランドのCinia社がロシア企業との合弁プロジェクトとして進めてきたARCTICは、ヨーロッパと日本を北極海で結ぶ新しい光ファイバーとして全く別の魅力をもつ[59][60]。それは、ヨーロッパ回線が南回り、アメリカ経由、ロシア横断と、それぞれ長距離であるか、不安定な要素が含まれていることによる。この北極海ケーブルの計画は、北欧のRENであるNORDUnet[61][62]が日本の研究・教育ネットワークにアプローチしてきたことを契機に、日本においてこのファイバーペアを基調とした国際REN接続の検討が始まった。

　これを実現するために、WIDEプロジェクトはAPNICの協力を得てオーストラリ

アにファンドを形成し、これを用いて北極海ケーブルのRENでの利用の実現を目指して来た。この結果がARENA-PAC[63]である。ARENA-PACは、北極海ケーブルに先駆けて、グアムを中心に、東京、シンガポール、インドネシア、フィリピンなどを結ぶ長期契約を実現し、新しい北極海ケーブルプロジェクトへのファイバーペアでの参加を模索している。例えば、グアムとシンガポールを結ぶ新しい太平洋の幹線となるREN間接続は、APOnet[64]のメンバーであるインディアナ大学（米国NSFが支援）、Internet2、オーストラリアのAARNetそしてARENA-PACの4者による共同回線として、15年の100Gbpsの契約をし、2021年12月に運用を開始した[65]。このようなモデルが実現してくると、これから

の国際REN間接続は、15〜20年を目指した計画を立てることができるようになり、大量のデータ処理を前提とするこれからの科学技術の研究や、新しいタイプの教育の国際展開が見通せるようになった。

2022年に、Cinia社、米国のFDN社、わが国のアルテリア・ネットワークス社のパートナーによって計画が発表された北極海を経由してアジアと欧州を結ぶ光ファイバー海底ケーブル敷設プロジェクト（Far North Fiber、FNF事業）[66]には、北海道や東京地区を接続する計画が含まれており、研究教育ネットワークとして太平洋全域が、新たな直接的なケーブルを使い、ヨーロッパと接続できる。これは、ヨーロッパ、日本のみならず、太平洋全域に大きな貢献をもたらすと期待されている。

HOKKAIDO

▼ 引用・参考文献等

*1 Perry, D.G., Blumenthal, S.H. and Hinden, R.M.（1988），"The ARPANET and the DARPA Internet", Library Hi Tech, Vol. 6 No. 2, pp. 51-62. https://doi.org/10.1108/eb047726

*2 Denning, P. J.（1989）. The Science of Computing: The ARPANET after Twenty Years. American Scientist, 77（6）, 530–534. http://www.jstor.org/stable/27856002

*3 National Institute of Information and Communications Technology.（n.d.）. Home. JGNウェブサイト. Retrieved April 16, 2022, from https://testbed.nict.go.jp/jgn/

*4 Hauben, M., Hauben, R., & Truscott, T.（1997）. Netizens: On the History and Impact of Usenet and the Internet（1st ed.）. Wiley-IEEE Computer Society Pr.

*5 Usenet.（2022, March 30）. In Wikipedia. https://en.wikipedia.org/wiki/Usenet

*6 Murai, J., & Kato, A.（1988a）. Current status of JUNET. Future Generation Computer Systems, 4（3）, 205–215. https://doi.org/10.1016/0167-739x（88）90004-0

*7 Murai, J., & Kato, A.（1988b）. Researches in network development of JUNET. Proceedings of the ACM Workshop on Frontiers in Computer Communications Technology - SIGCOMM '87. https://doi.org/10.1145/55482.55491

*8 MHSnet.（2022, January 16）. In Wikipedia. https://en.wikipedia.org/wiki/MHSnet

*9 Lauder, P., Kummerfeld, R., & Fekete, A.（1991）. Hierarchical network routing. Proceedings of TRICOMM `91: IEEE Conference on Communications Software: Communications for Distributed Applications and Systems. https://doi.org/10.1109/tricom.1991.152880

*10 Di Bona, R. M.（1995）. Data movement in the grasshopper operating system. University of Sydney.

*11 Hine, J. H., & Linton, A. S.（1992）. Encouraging Research and Education Networks in Southeast Asia and the Pacific. Victoria University of Wellington, Department of Computer Science.

*12 Wells, M.（1988）. JANET-the United Kingdom Joint Academic Network. Serials: The Journal for the Serials Community, 1（3）, 28–36. https://doi.org/10.1629/010328

*13 Cooper, R., Hutton, J., & Smith, I.（1991）. From JANET to SuperJANET. Computer Networks and ISDN Systems, 21（4）, 347–351. https://doi.org/10.1016/0169-7552（91）90059-I

*14 Oberst, D. J., & Smith, S. B.（1986）. BITNET: Past, Present, and Future. EDUCOM Bulletin, v21（n2）, 10–17. https://eric.ed.gov/?id=EJ340354

*15 Grier, D., & Campbell, M.（2000）. A social history of Bitnet and Listserv, 1985–1991. IEEE Annals of the History of Computing, 22（2）, 32–41. https://doi.org/10.1109/85.841135

*16 Harper, J.（1993）. Overview of Digital's open networking. Digital Technical Journal, Volume 5（Issue 1）, 12–20. https://dl.acm.org/doi/abs/10.5555/178280.178281

*17 InternetHistory.Asia.（2012, July 7）. Section 4.1 International Academic NetWorkshop（IANW）. Asia Internet History Projects. Retrieved April 16, 2022, from https://sites.google.com/site/internethistoryasia/book1/4-1-ianw

*18 Landweber, L. H.（1983）. CSNET — The computer science research network: History, status, and future plans. Computer Compacts, 1（1）, 9–13. https://doi.org/10.1016/0167-7136（83）90115-4

*19 Landweber, L. H.（1982）. The Computer Science Network. The Computer Science Network, Vol. 3（No. 4）, 40–41. https://doi.org/10.1609/aimag.v3i4.381

*20 Postel, J., "Transmission Control Protocol", STD 7, RFC 793, DOI 10.17487/RFC0793, September 1981, https://www.rfc-editor.org/info/rfc793.

*21 Postel, J., "Internet Protocol", STD 5, RFC 791, DOI 10.17487/RFC0791, September 1981, https://www.rfc-editor.org/info/rfc791.

*22 IETF Administration LLC.（2022, April 13）. Home. IETF. Retrieved April 16, 2022, from https://www.ietf.org/

*23 Murai, J., Kato, A., Kusumoto, H., Yamaguchi, S., & Sato, T.（1989）. Construction of the widely integrated distributed environment. Fourth IEEE Region 10 International Conference TENCON. https://doi.org/10.1109/tencon.1989.176969

*24 Murai, J., Kusumoto, H., Yamaguchi, S., & Kato, A.（1989）. Construction of internet for Japanese academic communities. Proceedings of the 1989 ACM/IEEE Conference on Supercomputing - Supercomputing '89. https://doi.org/10.1145/76263.76347

*25 WIDE Project.（n.d.-a）. Home. Retrieved April 16, 2022, from https://www.wide.ad.jp/

*26 WIDEプロジェクト.（2009）. 日本でインターネットはどのように創られたのか? WIDEプロジェクト20年の挑戦の記録. インプレスR&D.

*27 National Science Foundation.（2003, August 13）. A Brief History of NSF and the Internet. NSF - National Science Foundation. Retrieved April 16, 2022, from https://www.nsf.gov/news/news_summ.jsp?cntn_id=103050

*28 Rogers, J. D.（1998）. Internetworking and the Politics of Science: NSFNET in Internet History. The Information Society, 14（3）, 213–228. https://doi.org/10.1080/019722498128836

*29 釜江常好，白橋明弘：特集 学術コンピュータネットワーク TISN（東大国際理学ネットワーク）について，オペレーションズ・リサーチ，Vol.37, No.12, pp.579-581（1992）.

*30 Dawson, D.（2021, July 30）. RENs: Pioneers of the Internet in the Asia Pacific. APNIC Blog. Retrieved April 16, 2022, from https://blog.apnic.net/2021/07/01/rens-pioneers-of-the-internet-asia-pacific/

*31 AARNet.（1991, May）. A Profile of PACCOM. http://wwcm.synology.me/Archives/CC%204.72%20AARNet%2019910526%20A%20Profile%20of%20PACCOM.pdf

*32 北海道地域ネットワーク協議会.（n.d.-a）. Home. NORTH 北海道地域ネットワーク協議会. Retrieved April 16, 2022, from https://www.north.ad.jp/

*33 特定非営利活動法人中国・四国 インターネット協議会.（2008, September 19）. Home. CSI. Retrieved April 16, 2022, from http://www.supercsi.jp/csi/

*34 National Institute of Informatics.（2022, April 3）. Home. SINET6 - Science Information NETwork 6. Retrieved April 16, 2022, from https://www.sinet.ad.jp/

*35 淺野正一郎：国際研究ネットワーク調整会議 CCIRN，学術情報センターニュース，No.17, pp.14（1991），https://dl.ndl.go.jp/view/download/digidepo_3489328_po_No17.pdf?contentNo=1&alternativeNo=

*36 K. Neggers, "Network Design for Large Data Flow," in Optical Fiber Communication Conference and Exposition and The National Fiber Optic Engineers Conference, Technical Digest（CD）（Optica Publishing Group, 2006）, paper OWU4. https://opg.optica.org/abstract.cfm?URI=OFC-2006-OWU4

*37 Martin, O.（2012）. The "Hidden" Prehistory of European Research Networking. Van Haren Publishing.

*38 SURF.（2022, April 8）. Home. Retrieved April 16, 2022, from https://www.surf.nl/en

*39 CANARIE. (2022, February 3). Home. Retrieved April 16, 2022, from https://www.canarie.ca/

*40 IEPG. (n.d.). Home. IEPG DOCUMENT ARCHIVE. Retrieved April 18, 2022, from http://iepg.org/

*41 Huston, G., "Introducing the Internet Engineering and Planning Group (IEPG)", RFC 1690, DOI 10.17487/RFC1690, August 1994, <https://www.rfc-editor.org/info/rfc1690>.

*42 UUNET. (2022b, March 14). In Wikipedia. https://en.wikipedia.org/wiki/UUNET

*43 Internet Initiative Japan Inc. (2022, April 15). トップ. インターネットイニシアティブ-IIJ. Retrieved April 16, 2022, from https://www.iij.ad.jp/

*44 Ministry of Agriculture, Forestry and Fisheries Research Network. (n.d.). Home. MAFFIN Website. Retrieved April 16, 2022, from http://www.maffin.ad.jp/index-j.html

*45 High Energy Accelerator Research Organization. (n.d.). 計算機システムの歴史. KEK. Retrieved April 16, 2022, from https://www2.kek.jp/proffice/archives/3w/

*46 Extreme Networks Japan. (2021, June 7). [国立天文台導入事例] ゼロトラストセキュリティや将来の拡張性を視野にコストパフォーマンスの高いネットワークインフラを構築. Retrieved April 16, 2022, from https://jp.extremenetworks.com/resources/case-study/国立天文台導入事例-ゼロトラストセキュリティ/

*47 Asian Internet Interconnection Initiatives. (n.d.). Asian Internet Interconnection Initiatives. AI3. Retrieved April 17, 2022, from https://www.ai3.net/

*48 CUDHEA, P., MCNEILL, D., & MILLS, D. (1982). SATNET operations. 9th Communications Satellite System Conference. https://doi.org/10.2514/6.1982-452

*49 SATNET. (2022, February 10). In Wikipedia. https://en.wikipedia.org/wiki/SATNET

*50 School on Internet Asia. (2022, April 15). SOI Asia Project | School on Internet Asia. SOI Asia Project. Retrieved April 17, 2022, from https://www.soi.asia/

*51 APAN. (n.d.). APAN - All Partners Access Network. All Partners Access Network. Retrieved April 17, 2022, from https://www.apan.org

*52 GEANT. (2022, January 25). GÉANT Home. GEANT - Networks - Services - People. Retrieved April 17, 2022, from https://geant.org/

*53 Pacific Wave. (n.d.). Home. Retrieved April 17, 2022, from https://pacificwave.net/

*54 Corporation for Education Network Initiatives in California. (n.d.). CENIC | CENIC connects California to the world. CENIC. Retrieved April 17, 2022, from https://cenic.org/

*55 Australia's Academic and Research Network. (2022, April 13). Home. AARNet. Retrieved April 14, 2022, from https://www.aarnet.edu.au/

*56 Korea Research Environment Open Network. (n.d.). Home. KREONET. Retrieved April 14, 2022, from https://www.kreonet.net/eng/

*57 AARNet. (2021, October 6). Faster connectivity between Asia and Europe for research and education. AARNet. Retrieved April 17, 2022, from https://www.aarnet.edu.au/faster-connectivity-between-asia-and-europe-for-research-and-education/

*58 Submarine Networks. (n.d.). Arctic Fiber. Retrieved April 14, 2022, from https://www.submarinenetworks.com/systems/asia-europe-africa/arctic-fiber

*59 Cinia Oy. (2021, May 29). The Arctic Connect telecom cable project is set on hold for further assessment. Retrieved April 17, 2022, from https://www.cinia.fi/en/news/the-arctic-connect-telecom-cable-project-is-set-on-hold-for-further-assessment

*60 Cinia Oy. (2021, December 21). Cinia and Far North Digital Sign MoU for Pan-Arctic fiber cable. Retrieved April 17, 2022, from https://www.cinia.fi/en/news/cinia-and-far-north-digital-sign-mou-for-pan-arctic-fiber-cable

*61 Brunell, M., & Loevdal, E. (1990). NORDUNET and the NORDUnet. The User's Directory of Computer Networks, 239–241. https://doi.org/10.1016/b978-1-55558-047-6.50029-1

*62 NORDUnet. (2022, March 9). Home. Retrieved April 18, 2022, from https://nordu.net/

*63 ARENA-PAC – Arterial Research and Educational Network in Asia-Pacific. (2021, December 10). Arterial Research and Educational Network in Asia-Pacific. Retrieved April 17, 2022, from https://www.arena-pac.net/

*64 ASIA PACIFIC OCEANIA NETWORK. (n.d.). Home. APOnet. Retrieved April 17, 2022, from https://www.aponet.global/

*65 ARENA-PAC. (2021, December 10). Guam–Singapore Connectivity Consortium Expands Support for Data-Intensive Science in the Asia Pacific Oceania Region – ARENA-PAC. Retrieved April 17, 2022, from https://www.arena-pac.net/guam-singapore-connectivity-consortium-pr/

*66 Cinia Oy. (2022, February 16). Far North Fiber moves ahead – Cinia and ARTERIA Sign MoU for Pan-Arctic fiber cable. Retrieved April 16, 2022, from https://www.cinia.fi/en/news/far-north-fiber-moves-ahead-cinia-and-arteria-sign-mou-for-pan-arctic-cable

1.4 Society 5.0

岸上 順一　Junichi Kishigami

室蘭工業大学 特任教授

政府は2016年度を開始年度とした「第5期科学技術基本計画」において、「Society 5.0」をキャッチフレーズに掲げた。

「Society 5.0」の一つ前の「Society 4.0」は情報社会を意味している。その後に続く「Society 5.0」とはいかなる社会であり、その社会を生き抜く上でどういった視点が必要となるか、幅広い観点から考察することが求められている。

そこで本節では、Society 5.0を、北海道、インターネット、DX（Digital Transformation）においてどのように考えるかについて、多面的に考察する。

1.4.1

はじめに

「第5期科学技術基本計画」（2016～2020年度）においてキャッチフレーズとして登場し、日本から発信された「Society 5.0」は、狩猟社会（Society 1.0）、農耕社会（Society 2.0）、工業社会（Society 3.0）、情報社会（Society 4.0）に続くものとして定義される。2016年度以降、このキャッチフレーズの下に様々な取り組みが発表され、同時に国連も、人類が努力すべき17の具体的な目標をSDGsという名前で発表したため、徐々に企業活動においてもこれらの概念を活動に含める努力がされてきて

いる。

この2つの大きなキャッチフレーズは、最初のうちはあまり受け入れられることなく、具体的に何をすればよいのかという即物的な反応が多かったが、次第にこれらの概念の深い意味を理解する人、企業が増えてきているように思われる。

Society 5.0を、北海道、インターネット、DXという場においてどのように考えるかについて、今、多面的な検討が求められている。

1.4.2
これまでと違うこと

「経済的な指標は一定の周期がある」と言ったのはシュンペーターであるが、その周期の最も長いものは、1925年にロシア

の経済学者であったコンドラチェフが提言したものである。図1.4.1に示すように、好景気と不況の時期を繰り返し、波長が50年から60年で繰り返されてきたというものである。古くは蒸気機関が産業革命を後押ししたことでわかるように、次世代の基本的な技術が最も不況な時期にできたという点が重要である。

我々が最近まで享受してきたICT（IT）の時代のベースは、1947年にベル研究所で発明されたトランジスタであるということは皆が納得することであろう。それが数年先にジャック・キルビー（Jack Kilby）によってIC化され、さらに4004などのLSIがインテルで開発され、その集積度を毎年競いながら、ムーアの法則が提言された。これにより、毎年倍々ゲーム（1975年に2年で2倍と修正された）で性能が向上し、それはやがて1976年にスティーブ・ジョ

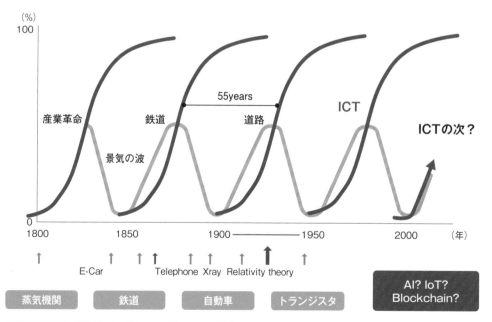

KONDRATIEFF WAVES:Cycles, Crises, and Forecasts、Bibliography: Volgograd: 'Uchitel' Publishing House, 2016.-224 p. 、Edited by: Leonid E. Grinin, Tessaleno C.Devezas, and Andrey V.Korotayev、ISBN 978-5-7057-5081-8
などから筆者が作成

図1.4.1　コンドラチェフの長周期論

ブズとスティーブ・ウォズニアックにより、世界最初のPCとなって我々の手元にコンピューターパワーをもたらしたのである。

その後もどんどん集積化は進み、最近のスマートフォンの能力は、30年くらい前のスーパーコンピューターを上回るほどの技術の進歩を遂げてきた。これはメモリあるいはコンピューターの頭脳であるCPUだけの革新にとどまらず、大規模蓄積装置である磁気ディスクの記憶容量やPCを接続するネットワークの能力（帯域）も革新的な進歩を遂げてきた。これらはハードウェアの話であるが、単位時間に実行できる能力が上がることにより、それだけ複雑なソフトウェアの実行も可能となり、これらが相まってインターネットの発明に結び付いたという見方もできよう。

もともとは冷戦時代に生み出され、当初は研究者間の趣味のようなネットワークであったインターネットも、1992年に商用化されると同時に、Yahoo!やGoogle、Amazonなど新しい企業が、その素晴らしいビジョンに基づいて楽しみながらも便利なサービスを次から次に提供したことにより、あっという間にICT時代の寵児となっ

たのは同時代を生きる我々の感覚であろう。

さて、コンドラチェフの長周期論がこれからも成り立つと仮定すると、我々はすでに次の50年間を支配する新しい技術が生まれることを知っており、それを育てている途中であると言えよう。ただし、それが何であるかを明言することは同時代に生きる我々にはできない。それらは50年後に振り返った時にはじめてわかることだ。しかし、候補になる技術はここ10年くらいで次第に明らかになってきたように思える。おそらくそれは、AI技術、IoT技術、そしてブロックチェーン技術であろう。

ここで重要なのは、これら3つの技術は「自律性」という共通点を有していることである。これらの技術が連携することによって、新しい世界を作っていくのだろうと考える。その中でもブロックチェーン技術は、人々の合意形成という問題を、プログラムあるいはアルゴリズムの力で解決するという方向を目指しており、これまでに全くなかったアプローチであると言えよう。

新たな時代を捉える上で、我々は今、

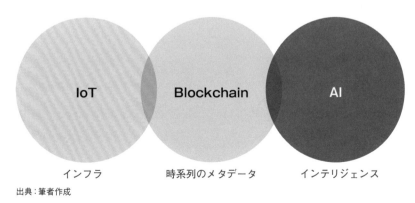

インフラ　　　　時系列のメタデータ　　　インテリジェンス

出典：筆者作成

図1.4.2　自律性のある3つの技術

「ICTの時代」から「自律性の時代」に移りつつあることを自覚することが重要である。少し形而上学的な言い方をすると、サイバーとリアルの融合という表現もできる。すなわち、ウェアを通じて、自分の分身が何かを実現するためにインターネットの世界を飛び回り、必要な情報を集めたり、何かのアクションを起こしたりすることだ。

このように、Society 5.0という概念は、ICT化とは一線を引くものである。従来のICTとは、驚異的なハードウェアの技術革新とそれに合わせた形のソフトウェアがもたらした、便利で効率的な世界のことであった。それに対してSociety 5.0は、政府も意識的にICTという言葉を避けているように思われ、手段としてのデジタル化ではなく、サイバーの世界が、リアルの世界を変えるということ、別の言葉で言えば、自律性の強い技術をバックにした様々なサービスが日常性に入り込み、人の労働によって成立していた多くの仕事がサイバーなシステムに置き換えられ、一方、それを使いこなした新しいサービスが、より豊かな時間を生み出すと捉えることができよう。

1.4.3
北海道における
Society 5.0実現へのプロセス

2019年、北海道の鈴木 直道知事に答申をすべく、「北海道Society 5.0懇談会」が立ち上がり、レポート「北海道Society 5.0構想」がまとめられた。以下は本構想をベースに述べる。（全文は [*1] にアーカイブされている）

北海道は言うまでもなく、日本の食糧基地として特異な存在である。Society 5.0とは、内閣府の作成した概念図で示されているように、Society 2.0と位置付けられた農耕社会から、工業社会、情報社会へと進化してきた社会構造の次を表現する概念である。

現状を振り返ると、人口減少と少子高齢化が全国平均を上回る速度で進んでいる。例えば室蘭では、あと数年でタクシーの運転手が高齢化のため不在になるのではないかといった深刻な問題を抱え、そうしたことがあらゆる分野で急速に進んでいる。人手不足に対応し、魅力ある職場の提示によって若者を呼び込む方策は古くから行われてきたものの、顕著な成果を上げていない。さらに、女性、高齢者、外国人など、多様な働き手が無理なく働けるような環境作りが急務である。そこでSociety 5.0の出番である。

人口減少は医療の世界にも大きなダメージを与えており、例えば室蘭においては、かつて20万人弱の人口だった時に建設された立派な病院が3つもあるが、現在は人口が8万人強にまで減少したため、入れ物としての病院があっても充足できるだけの医師がいない状態となっている。これは、札幌、帯広を除く道内のほとんどの地域で起きている現象であり、そこに複数の病院を連携させる医療システムを導入することなども、Society 5.0に期待されているところである。

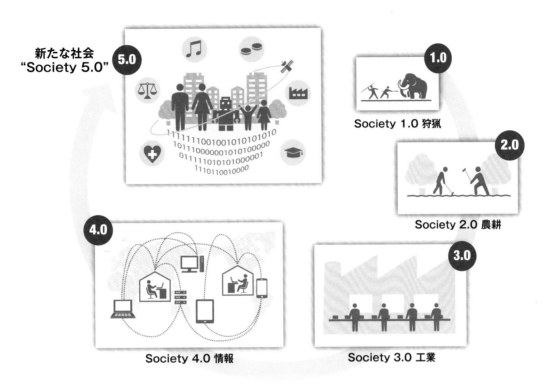

新たな社会
"Society 5.0" **5.0**

1.0 Society 1.0 狩猟

2.0 Society 2.0 農耕

3.0 Society 3.0 工業

4.0 Society 4.0 情報

出典：内閣府のホームページ「Society 5.0とは」を基に作成

図1.4.3　Society 5.0の概念図

　人口減少が影響しているもう一つの大きな分野が教育である。都会を除く日本中で、小中高校の統廃合が起きている。さらに北海道には4つの高専、7つの国立大学をはじめ、40余りの大学が存在している。コロナ禍の中、なかなか進まなかった遠隔授業があっという間に日常化し、対面講義でなくてもかなりの部分をカバーできることが証明された。一方、これまでの在り方では大学は少子高齢化と新しい日常の中で早晩立ち行かなくなることにもうすうす気が付いているのではないだろうか。新たな大学の日常とはどのような形が望ましいのであろうか。今こそ真剣な議論が巻き起こるべきであろう。

　さらに、交通状況も厳しい状況を迎えている。札幌などの一部を除けば、バスが唯一の公共交通手段である地域が多い。北海道は広大なため、JR北海道への依存度が他地域に比べて大きいが、JRだけではなかなか難しい。一方、道路だけはどんどん高規格化するため、人々の移動手段は自ずと自家用車に移る。しかし、高齢者にとってそれはなかなか厳しく、補助金を使って赤字で運営するバスに頼っているのが現状であろう。ここでもMaaSなどの新しい動きがあり、パラダイムシフトを起こすチャンスであるとも考えられる。

　北海道にとって最も身近で大きな問題となっているのが、農業、畜産業、水産業、林業などの一次産業である。まず農業について見ていこう。広大な農地に規則的に植えられた野菜などが織りなす、いかにも北海道らしい風景は、写真撮影の対象として

図1.4.4　北海道黒松内町の馬鈴薯畑

も大きな魅力を持っている。

　北海道の耕地面積は約114万ha（2019年）で全国の26％を占め[*2]、生産額は、全国比わずか3％の農家戸数で14％（約1兆2000億円）のシェアを占めている。すなわち、大規模農家が多いということである。生産額の全国シェアを作物別に見ると、小麦（66％）、馬鈴薯（80％）、てん菜（100％）、玉ねぎ（66％）が高い。畜産は全国の23％を占め、生乳（56％）、乳用牛（54％）の生産が主である。

　林業のベースになる森林面積は、全国の22％を占めている。国有林（55％）が高い割合を占めており、天然林（69％）が人工林（27％）に比べて多いのが特徴である。

　水産業は、2020年で全国の24％強の生産量を誇り、全国一である。内訳を見ると、ほたて貝が北海道の生産量の27％弱を占め、最も多い。次いで、いわし（21％）、スケトウダラ（14％）の順である。しかし、生産額は10年前の26％減であり、深刻な状況になっている。

　以上、概観したように、北海道の現況は、札幌以外の地域における人口減少、高齢者の進展、従来の交通体系の維持の困難化、一次産業の大規模化とまとめることができよう。

　これらの危機を目の前にして、様々な手法でICTを取り入れようとする試みが起こっている。しかしながら、その多くは国などの一時的な費用を用いたトライアルの域を超えることができず、定着していない。その主因は、当事者にICTなどの専門家がおらず、東京のコンサルタントやベンダーなどの言いなりになり、最適化とサステイ

ナブルなアプローチができていないためと考えられる。道内の大学などとの連携が有機的にできていればこの点は乗り越えられると思うが、なかなかうまくいっていない。

Society 5.0を北海道という場所で考える場合には、これまでの反省の下にそれを組み上げる必要があろう。DXはデジタル化の変革を意味するが、それは決してICT技術を多く取り入れるという意味ではない。仕事や生活の仕方そのものを変革することである。会社であればCX:Corporate Transformation、仕事という観点で見ればBX:Business Transformation、さらに広く見ればAX:Autonomous Transformationを意味すると考えるとわかりやすい。すなわち、すべての人が新たなデジタル環境の下で、より豊かな人生を送るという観点が重要である。

それらは今までのアプローチと何が違うのだろうか?

ある年に実現したい夢があって、それをバックキャスティングすることで必要な技術をデザインしていく手法、それがこれまでと大きく異なるのである。一例を挙げよう。

> 平日は、「自分の漁場にいつどんな魚が来るか?」という的確な情報を得ることで最小限の漁をし、それを最も高く売れそうな流通ルートでマッチングさせたい。

> 週末は、自分の好きな時間に、運転をすることなく快適に札幌まで映画を見に行きたい。

こうした優雅な漁業をどうやったら実現できるかということである。そのためには、海で起こっている様々な現象の見える化、MaaSの完成形、流通におけるマッチングの最適化などの技術が必要になるだろう。

1.4.4
インフラとSociety 5.0

この項では、北海道におけるアプローチとその利点を取り上げたい。北海道の特徴は、一言で言えば広大な大地である。すべてがこのことをベースに動いている。しかし、この広大な地域をカバーしようとすると大変なコストがかかる。例えば、光ファイバーの世帯カバー率は97.7%に達しているのに対し、農村集落においては半分にも満たない46%である。

ネットワークはライフラインの一つであるが、IoTを駆使して自然と相対するためにも、エリアカバー率が重要である。それはさらに広がり、センシングは地上だけではなく海上においても重要であり、漁業のみでなく様々な環境把握のために必要である。もしも、人類が自然に対して最少の負荷で今後生きていくというSDGsを選択するのであれば、まずは環境把握が必要であろう。

インフラとは情報／エネルギーの流れであり、Society 5.0のベースになるものである。そこには国境は存在せず、2045年には現在の20〜30%の貿易はなくなり、3Dプリンターのデータだけが飛び交うと言われている。それはわかりやすい流通革

命であるが、このようなDXの中で、当たり前に産業が成り立つためには、強靭なインフラとセキュリティが不可欠である。

1.4.5

まとめ

本節では北海道におけるSociety 5.0といういうコンテキストで述べてきたが、これは必ずしも北海道に限定されることではなく、今後日本が対峙する様々な事象に対し、我々がどのように対応するべきかのヒントを述べたつもりである。

DXが我々に余裕を与え、豊かな生活を送れるようになるのか、機械に使われるような暗い世の中になるのかは、近未来での我々の動きにかかっているのだと思う。

▼ 引用・参考文献等

*1 北海道Society5.0, "北海道Society5.0構想［北海道］," 31 3 2020.
　［オンライン］Available: https://www.harp.lg.jp/opendata/dataset/1383.html.
　［アクセス日: 20 04 2022].
*2 ホクレン, "図表で見る北海道農業,"
　［オンライン］Available: https://www.hokuren.or.jp/aguri/current/.
　［アクセス日: 20 04 2022]

1.5 インターネットと国際政治

Juha Saunavaara ユハ サウナワーラ
北海道大学 北極域研究センター 助教

Internet
and
international politics

本節では、インターネット、特にそのインフラおよび物理的基盤、すなわち、光ファイバーケーブルネットワークとデータセンターについて、国際関係の観点から論じる。
1）国際光ファイバーケーブルネットワークおよびデータセンター産業の歴史的ルーツと発展の経緯　2）国際的な規制の枠組みや、インターネットを支える既存インフラの脆弱性　3）国際的な通信インフラ開発における権力の問題　の3点について詳説し、あわせて、東アジア、北米、欧州といった地域を、北極を通じて北方圏のデータセンターに接続するプロジェクトにも言及する。

1.5.1

はじめに[*1]

インターネットは国際社会や世界の権力構造に莫大な影響力を及ぼす。インターネットにより、情報の伝播および収集のあり方は大きく変容し、それによって新たなアクターが自身の意見や懸念を表立って発言できるようになり、国家間の意思決定に影響力を及ぼすことが可能となった。しかしながら、国際関係の文脈でインターネットが取り上げられる場合、形のないサイバー空間に存在するデータのガバナンスやプライバシーに関する話題が多く、物理的なインフラに光があたることは稀である[*2]。

とはいえ、インターネットとは決して無形のものではなく、「インターネットはどこにでもあるが、実体がないもの」という古い認識は誤りである。最近では低軌道衛星プロジェクトが国際的に脚光を浴びることも多いが、インターネットが持続しているのは、ひとえに合計130万kmの長さに及ぶケーブルから成る450の光海底ケーブルシステムがネットワークを構成し、絶え間なく機能しているおかげである。光海底ケーブルは重要なインフラではあるが、目に見えないものであるために意識されることがあまりなく、論じられることも少ない。世界の通信ネットワークを支えるもう一つの柱はデータセンターだが、他の産業施設や倉庫と外見は見分けがつかないため、これも看過され、忘れられがちである。

データセンターや光ファイバーケーブルは、現実の世界とサイバー空間が交わる場所である。インターネットを支える物理的なインフラは、自然や環境から影響を受けるだけでなく、そういったインフラを擁する社会の発展にも密接に関連している。

世界の光ファイバーケーブルネットワークの発展、そしてデータセンターの立地は、中央政府および議会、あるいは地方自治体やNGOといったアクターを巻き込んだ国内の経済、政治、文化プロセスにも左右されるが、インターネットを支えるインフラの発達については、国際協力および国際競争の枠組みで分析しなければならない。別の言い方をすれば、現実世界の国際関係は物理的なインフラに影響を与え、それによって今度はサイバー空間における力関係

が決まってくるのである。

現代のデジタル世界と
産業時代の遺産

光ファイバーによる初の通信技術は、1970年代後半に開発されたが、実用化に向けた配備には時間がかかった。国際光海底ケーブルが初めて敷設されたのは1986年、英国とベルギー間のことであり、大西洋をまたぐ光海底ケーブルが設置されたのはそれからさらに2年後のことだった。

国際光海底ケーブルには様々なものがあるが、ルートは互いに似通っており、それらが同じ地域で陸揚げされることが多く、さらには同じランディングステーションが利用されることもある。

これまでケーブル会社が新しいケーブルを設置した際は、それまでに利用されていた既存のルートに倣うことが多かった。したがって、現代の光海底ケーブルネットワークの起源は、19世紀中頃、電報を運ぶ銅線が初めてイギリス海峡、そして大西洋を横断して敷設された時まで遡ることができる。こういった初期の電信ルートの多くに倣い、1950年代以降、まず海底電話ケーブルが敷設された。これがその後の光海底ケーブルの地理的分布に影響を与えている。

既存のケーブル経路を利用しようという思考は理解に難くない。新規ケーブルの敷設に関わるアクターは通常、新たなケーブルを既存のグローバルネットワークに接続

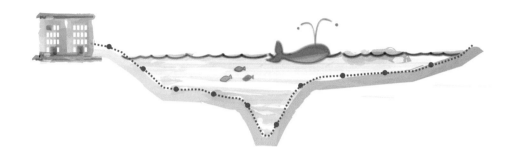

することを望む。加えて、既存のルートを利用すれば、海底の地形や堆積物の種類、自然災害発生の可能性や、それがインフラに及ぼす影響の記録といった環境的条件のデータもすでに揃っている。同様に、ある企業が、自社または他社がすでに陸揚げしている場所で陸揚げした場合、停泊禁止ゾーンやその他漁業関連の問題はすでに解決している可能性が高く、海岸線における環境的影響についても議論が蓄積されている。

未実証のルートを使う場合は、管理にかかるコストが高くなることがある。ケーブルシステムが損傷した場合、それを修復できるケーブル敷設船の数はごくわずかであり、新しいルートを使った場合、そういった敷設船からケーブルまでの距離が遠くなる可能性もある。さらに、新たな接続ポイントを設ける際は、市場の需要が見込めるかが不確実である。

ケーブルネットワークの開発には、こういった技術的制約や経済的要因に基づく前提条件が絶えず付きまとってきたが、時には国際状況の変化や緊張状態もこれに影響する。例えば、米国で1950年代以降開発されていた同軸ケーブルネットワークには、冷戦下で重要インフラを遠隔地に分散させた米国の戦略が反映されている[3]。

データセンターには光ファイバーによる接続が不可欠であり、データセンターの立地には、いくつかある要因の中でも特に、海底・陸上の光ファイバーケーブルシステムの位置が大きく影響する。一方、データセンター施設は、デジタル化が進んだ現代世界とこれまでの産業史を繋ぐものでもある。データセンターのインフラやレイアウトは既存の産業施設のものが転用されることが多く、製紙工場、パン工場、果ては軍の掩体壕（えんたいごう）など、多種多様な施設の跡地を利用してデータセンターが建設される事例が見られる[4]。加えて、安定した送電網や水力・風力発電所、さらにデータセンター内で発生した熱を再分配できる地域熱供給網はデータセンター産業に直結するものではないが、北欧諸国などでデータセンター産業が急速に拡大している要因の一端である。

今日に至るまでのデータセンター産業の歴史は比較的浅い。1990年代、データセンターはテクノロジー産業が盛んな地域にしかなかった。1998年、Googleは早くも自社ハイパースケールデータセンターを米国国内に開設したが、データの集中化が大きく進み、分散コンピューティングが盛んになったのは2000年代中頃のことだった[5]。

クラウドコンピューティングの出現によ

り、コンピュテーションとデータストレージの場は、オフィスや家庭に保管されたサーバから、世界各地に所在する大規模データセンターへと移行した。これと同時に、GAFAM（Google、Amazon、Facebook：現Meta、Apple、Microsoft）といったビッグ・テックは自社の大規模データセンターの建設を開始し、豊富なエネルギー貯蔵量と光ファイバーによる良好な接続が望める地域で初のデータセンターハブが発展し始めた。

こうした結果、データセンター投資を誘致すべく、各地域のアクターの間で国内および国際的な競争が起こった。米国国内の競争では、各州・各郡がこぞって魅力的なインセンティブを設けて精力的にプロモーションを行ったため、データセンター側はホストとなる自治体を選び放題であった。北欧諸国の情報提供者によると、こういった活動は欧州ではEU法により制限されていたが、タックスヘイブンであるアイルランドはICT企業の欧州本社を数多く擁し、圧倒的優位な立場にあったためフェアな競争にならなかったという。一方の北欧諸国は、データセンターに課すエネルギー税の高さを互いに競い合っていた。

2010年代、ビッグ・テックは従来の光海底ケーブル産業の構造にも影響を及ぼした。これまでの長い間、大規模な海底ケーブルを管理していたのは国際企業共同体だった。同軸ケーブルが使われていた時代、企業共同体を形成していたのは国有または政府系の独占的通信事業者であったが、光ファイバーケーブルの時代が始まると間もなく、

これらは民営化された。ところが、最近では単一の企業が海底ケーブルを所有するようになってきている。近年、ケーブルの敷設本数が増えているが、これは2016年以降、ビッグ・テックがケーブルの通信容量を購入する側ではなく、ケーブルを自ら開発する側に回っており、ケーブルシステムの所有権をめぐる状況が変化している。まず、これまで通信事業者が所有していた海底ケーブルから通信容量を大量に購入していた企業が、共同所有者として国際パートナーシップに加わった。次に、それらの企業が自社のケーブルを敷設し始めた。

従来、データセンターは相互接続の最大化、ネットワークレイテンシの低減、インフラの合理化といった目的のため、ランディングステーション近隣に建設されてきた。こうした傾向は今後も広く続くと思われるが、ビッグ・テックの立場は、従来のケーブル所有者や、さまざまな顧客が利用する他のコロケーションやクラウドデータセンターとは異なっている。

ビッグ・テックの場合、相互接続の選択肢が豊富な立地にインフラを建設する必要はない。ビッグ・テックがケーブルを新しく敷設する際に問題となるのは、都市同士ではなく、データセンター同士の接続なのだ[*6]。

1.5.3
国際的規制の枠組みとインターネットを支えるインフラの一極集中

図1.5.1からわかるように、世界の光海底ケーブルネットワークには地域的な偏りが見られる。データセンターは国内および

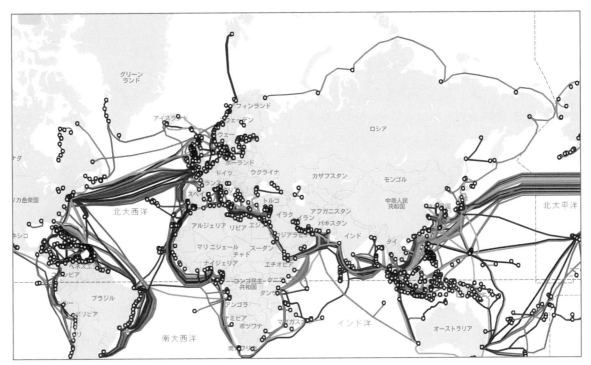

図1.5.1　世界の光海底ケーブルネットワーク

国家間の接続性に依存しているが、光ファイバーインフラが一部の地域に集約されたため、それにともなってデータセンターのクラスターも比較的小さな範囲に生まれることとなった。少数の地域に集中しているということは、こういった重要なインフラが天災および人災に対して脆弱であることを意味する。多くの海底ケーブルが交わるチョークポイントがあることや、不十分な堅牢性に起因するリスクがあることは何年も前から認識されているが、そういった問題は未だに解決されていない。

　政府が光海底ケーブルを重要インフラと位置付けている国は多いが、現在の光ファイバーネットワークは、世界各国にある営利目的の民間企業が構築したものである。その構造がさらに発達するのは、コミュニ

ケーション需要が増大し、政治的・地理的条件が整い、その拡張のための強力な経済的・事業的インセンティブが存在する場合である。今日でも、光海底ケーブル敷設の契約は民間企業の間で交わされるため、ケーブルネットワークの開発全体を監督する国際機関は存在しない。国際協力の議論の場でもある国際ケーブル保護委員会（ICPC）は、海底ケーブルに関する技術、法律、環境の情報を提供しているが、光海底ケーブルネットワークの開発を管理・監督する権限は持っていない[7]。

　インフラを多様化させる必要性は民間のアクターも認識してはいるだろうが、彼らは"予備"インフラと位置付けられるシステムには積極的に投資しない。また、既存

ルートの開発に投資してきた民間アクター
も、新たな競合ルート開発を計画する他の
アクターに協力することには気が乗らない。
例えば、海底ケーブルを新たに敷設するこ
とを目的としたArctic Connectプロジェ
クトの場合、Rostelecom社は自社の陸上
ネットワークに競合することを恐れ、この
プロジェクトに抵抗したという話がある。

しかしながら、グローバルコミュニケー
ションネットワークの開発は、まったく規
制を受けて来なかったわけではない。二カ
国の政府間で海底ケーブル分野の条約が交
わされることは稀ではあるが、海底電信ケ
ーブルに関する初の多国間条約（1884年
海底電信線保護万国連合条約）は19世紀
の終わりに発効している。この条約には、
ケーブルの破損や損傷に関する条項や、ケ
ーブルの敷設および修復に従事する船舶の
保護に関する条項があり、こういった条項
は国内法が制定されるきっかけにもなった。
　海底ケーブルに関する規制の枠組みは、
1958年の公海および大陸棚に関するジュ
ネーブ条約の採択により変化したが、現在
の国際的な法制度の基礎を成しているのは
海洋法に関する国際連合条約（UNCLOS）
である。UNCLOSには光海底ケーブルの
みを扱った節はないが、ケーブル・ルート
の調査、ケーブルの敷設、ケーブルの修復・
整備といった項目に関する規定はある。こ
れには、領海、沿岸国の司法管轄権の及ぶ
海洋域（排他的経済水域〈EEZ〉と大陸棚）、
司法管轄権の及ばない海洋域のそれぞれに
おいて、ケーブル関連作業を行う際の、沿
岸国およびその他の国の権利と義務が規定

されている。
　光海底ケーブルおよびこれを計画・建設
しているアクターは、こういった国際法だ
けではなく、国内法の影響も受ける。国内
法では、環境影響評価など、UNCLOSで
は定められていない規制や手続きが課せら
れることが多い。また、UNCLOSは2019
年4月末現在で168カ国が批准しているが、
その中に米国は含まれないことも特筆に値
する。
　各国の間（EU内部など）で規制のすり合
わせに向けた取り組みもあったものの、ケ
ーブル産業は、不安定な国際関係、保護貿
易主義と経済ナショナリズム台頭のあおり
を受けた。また、昨今では、光海底ケーブ
ルは破壊工作やテロ行為の潜在的ターゲッ
トとみなされるようになっている。こうし
た状況から、国内でのセキュリティ検査が
複雑になり、認可・許可申請の手続きに時
間がかかるようになった。
　米国の連邦通信委員会（FCC）は国内で
の海底ケーブル陸揚げを規制しており、陸
揚げの許可手続きには1年以上かかる。こ
れは主に、国内のセキュリティ検査にチー
ム・テレコム（国防総省、国土安全保障省、
司法省、FBI等で構成された組織）や対米
外国投資委員会といった多くのアクターが
絡んでいるためである。近年では、FCCは
敵対国、特に中国などで陸揚げされるケー
ブルに対してさらなる注意を促している。
実際のところ、FCCの決定により、ビッグ・
テックの東アジアにおける海底ケーブルの
ルートが影響を受け、中国の通信事業者が
米国国内で操業することにも規制が課され
ている[8]。

企業がロシア連邦の大陸棚に海底ケーブルを敷設しようとするならば、管轄当局である連邦天然資源・環境庁から許可を取得しなければならない。これには合計9つの連邦行政当局から承認を得ることも含まれる。承認を受けなければならない官庁が多数あり、そのそれぞれに申請を審査する内部的な手続きがあることを考えれば、許可を得るまでに多大な時間がかかることも頷ける。さらに、ロシアの国内法では外国のケーブル敷設船に対して特定の要件が課されており、海底ケーブル敷設のルートと条件についてはロシア当局が決定する権限を持っている。こういった要件や権利はUNCLOSでは規定されていない[9]。

このように、外国では数多くの関係当局による手続きが発生するため、新しいケーブルの敷設には時間がかかるが、こういった問題はケーブルが損傷した際にも障害となる。

安全保障関連の問題は、北極で進行する光海底ケーブルプロジェクトにも影響する。北極の自然環境は過酷だが、人口が少なく商業活動も限定されているため、事業を行う上でも厳しい環境である。Quintillion Subsea Holdings LLC社はアラスカに海底および陸上ネットワークを展開しているが、チーム・テレコムは数年前にこれを米国の安全保障上重要なインフラに指定している。同社は最近、元軍幹部を数名雇い入れて経営陣を強化しており、商業と安全保障の両面のニーズについて、また、北極における防衛インフラとしての自社の役割について公に議論している。しかし、アラスカにおける電気通信の歴史を見れば、こういっ

た近年の展開はそれほど驚くに値しない。1900〜1905年にアラスカに初めて敷設された電信線は、軍の駐屯地と地域本部の間を結んでいたが、第二次世界大戦の勃発をきっかけに、アラスカにおける通信技術はさらに発展を遂げていくことになる。この時のインフラに加え、冷戦時代にソ連の北方からの攻撃に備えて建設された通信施設も、軍用ではあったが、両者ともアラスカにおける民間通信の基盤となっている[10]。

冷戦時代には、海底ケーブルの安全性は無線や衛星と比べて高いとされたが、Arctic Connectプロジェクトやサイバーセキュリティコントロールを扱った国際研究では、海底の通信ケーブルからの情報収集、つまり、水中またはランディングステーションで通信が傍受される可能性を考慮しなくてはならないと主張されている。また、この研究では破壊工作も簡単に行えることが指摘されており、さらに、既存の国際海事法の枠組みでは、領海の外の光海底ケーブルを、サイバー、無人、自動兵器システムといった新たな脅威から守ることができないと論じられている[11]。

2018年4月、ロシア国防省は、セヴェロモルスクとウラジオストク間に北極横断光ファイバーケーブルを敷設する計画を発表した。これは海軍が利用するためのものであるが、ロシアの防衛能力向上も目的であることが伝えられている。この背景には、大容量の情報を高速で通信できることのメリットを軍が認識したということもあるが、軍当局は、こういったインフラに水中音響

センサーを接続すれば、北極海で発見した物体の情報を直に得ることができると指摘している。

その後、このプロジェクトについてはあまり情報が流れて来なかったが、2019年3月に新たな展開があった。この時は、ロシアがワールドワイドウェブから完全に孤立したクローズドインターネットの構築を計画しており、北極横断ケーブルはこの構想と関連していることが伝えられた。北東航路経由で欧州と東アジアをつなごうというロシアの目論見の始まりは、ロシア北極横断光海底ケーブルシステム（RUTACS）プロジェクトを立ち上げた2000年代初頭まで遡る。このプロジェクトは、ロシア当局から必要な承認を受け、ロシアの通信担当省から補助金を得ていたものの実現することはなかった。

計画が進展しなかった理由の一端は、2014年春のクリミア併合後にロシアが西側諸国から経済制裁を受けたことであろう。この一件以前には、米国を拠点とする企業が1社、光海底ケーブルシステムを敷設する契約を取り付けていた。

2021年4月中旬、軍当局ではなく運輸担当次官が、ムルマンスク近隣のテリベルカからウラジオストクへと続く6本の光ファイバーペアの敷設と、ロシア北極域および極東域における複数の陸揚げを許可したことを発表した。北極横断ケーブルの管理者に指名されたのは単一企業体のMorsviazsputnik社であった。このPolar Expressプロジェクトでは、同種のプロジェクトとは多くの前提条件が異なっており、国際協力による商業的プロジェクトのように市場からの投資ではなく、国による支援だけで資金が賄われる。ところが、このプロジェクトに携わるアクターたちは、ケーブルの相互接続ポイントを増やすとともに、共同投資のパートナーシップを展開し、欧州やアジア方面へとプロジェクトを拡大する意向を示している[*12]。こういった相互接続ポイントの増設は、別個の商業プロジェクトとして行われる。しかしながら、外国企業がロシアの国家事業に携わりたいと思うか否かは不透明である。MegaFon社がArctic Connectプロジェクトを凍結させたのは、国家主導のPolar Expressプロジェクトとの競合を避けるためという見方もあるが、一方のCinia社はアラスカに拠点を置くFar North Digital

社との共同プロジェクトを最近発表した。この2社は、日本を北西航路経由で欧州と結び、アラスカとカナダ北極域で陸揚げするケーブルシステムを計画している。欧州での陸揚げはノルウェー、フィンランド、アイルランドが予定されている。

　データセンターの立地に影響する要素としては、国際的な光ファイバーケーブルシステムの位置のほかにも、規制の枠組みや、安全保障やサイバーセキュリティに関する問題が挙げられる。例えば、北欧諸国はデータセンター投資を誘致する上で、自国の安定した政治情勢やビジネスに優しい環境（計画プロセスにおいて手続きが少なく承認が早い環境）を強みとしてアピールしている。

　一方、アイルランドでは国際競争力をできるだけ強化すべく、税の見直しや、データセンターの迅速な承認を認める法律の制定、多国籍テクノロジー企業に有利なデータ保護制度の確立などを図っている。ところが、2020年7月に下された欧州司法裁判所の裁定により、アイルランドは難しい立場に置かれることになる。この裁定はオーストリア国民からの申し立てに関するもので、Facebookを運営するMetaのアイルランド法人社が申立者の個人情報を米国に所在するMetaのサーバに移転することを禁じるものであった。これは、米国では外国から移転されたデータに公的機関がアクセスすることが認められており、データに対し法や慣行により十分な保護が行われていないためであった。9月、アイルランドのデータ保護委員会がこの裁定の執行を始めると、Metaは米国とデータの共有が禁止された場合、欧州から撤退するつもり

であると警告した＊13。他方、カナダが世界のデータセンター出資者に売り込んだ自国の強みには、寒冷な気候、安価なエネルギーと安定した社会情勢だけではなく、データ主権も含まれていた。米国愛国者法では政府によるデータへのアクセスが認められているが、これに起因する問題を避けたい事業者に対し、カナダは自国を有力な選択肢としてアピールした。

　さて、中国ではサイバーセキュリティ等級保護制度と呼ばれるものが導入されているが、これは、中国のサーバに保存されたデータ、あるいは中国のネットワーク経由で送信されたデータを問わず、中国国内に保存されているすべてのデータに政府が無制限にアクセスできることを定めたものと言われている。こういった法律のためにセキュリティやプライバシーの問題が危ぶまれ、海外のアクターが中国にあるデータセンターを閉鎖することもあり得るが、中国市場の重要性を鑑みれば、大半の企業はこの状況に順応せざるを得ないだろう。

　最後に、Amazon Web Service（AWS）などが運営する商用データセンターが、民間企業だけではなく政府にも利用されていることは特筆に値する。AWSでは"GovCloud"と呼ばれるリージョンを展開しており、米国の様々な政府機関および顧客が機密データをホストするために使用している。また、Amazonが開発した"AWS Secret Region"は、米国の諜報機関により、あらゆる機密レベルの情報を保管・アクセスするために使用されている。AWSは自社の顔認識テクノロジーを様々な法執行機

関に販売しており、そのことで最近、アメリカ自由人権協会から批判されているが、AWSのデータセンターを複数擁するアイルランドなどでも、AWSが持つ特権的な地位は批判的に論じられている。

1.5.4
国際光海底ケーブル：決定権と権力の所在

世界の光海底ケーブルを国際関係の観点で捉え、対立する様々な利害を持つステークホルダーの存在に注目してみると、権力に関する問題が浮かび上がってくる。

権力の定義には様々な議論がある。権力は体制や構造が持つ特質であるとする学説もあるが、ここからの分析では、権力を行為者（個人または企業や政府といった集合体）に属するものと位置付ける。さらに、ここでは権力を、「ある行為者が他の行為者に及ぼすもの」としてではなく、「その行為者が目標を達成するためのもの」として捉える[*14]。

表1.5.2は、各行為者が持つプラスの権力（何かを誘発する力、活動を開始する力）とマイナスの権力（何かに抵抗する力、活動を止める力）をまとめたものである。また、それらの権力の源、つまり、権力がどこから生じているかということの特定も試みる。こういった表では、現実の複雑な様相はどうしても単純化されてしまい、説明しきれないことも多い。限られた数のアクターしか紹介することができず、各カテゴリは様々な種類の行為者を分類するため、筆者自身が設定したものである。場合によっては、

個別の行為者が一つのプロジェクトの中でさまざまな役割を持つこともある。しかしながら、複雑な権力関係を説明する上では、この分析は役立つであろう。

Arctic Connectプロジェクトを**表1.5.2**に照らし合わせて分析すると、複雑な様相が浮かび上がってくる。このプロジェクトの場合、"統括企業"は常に変遷してきた。もとはフィンランド運輸通信省が立ち上げ、その後Cinia社が引き継いで数年にわたって主導していたが、計画プロセスにはMegaFon社等の海外パートナーが加わることにもなっていた。さらに、プロジェクトを実施する上では新たな出資者に参加してもらう必要もあった。こういった状況もあり、最終的にプロジェクトを実行する企業がどういった構成になるかはずっと明らかになっていなかった。

Arctic Connectプロジェクトでは、規制権限を持つ官公庁が直接または（少なくとも部分的に）所有する企業を通じてプロジェクトに投資できるようであったが、Polar Expressプロジェクトで採用されている国主導の新しいアプローチは、表1.5.2には完全にはあてはまらない。しかしながらこの表では、商業プロジェクトにおいて、出資者と主要顧客が重要であることが示されており、これは権力の地理的分布を考えるきっかけになる。北極横断ケーブルプロジェクトの場合、こういった主要なアクターは北極域外にいることが多い。しかし、前記の表を見れば、ケーブルの陸揚げ予定地など、ネットワークに不可欠な地域のアクターは、

アクター	プラスの権力	マイナスの権力	代替性
統括企業	プロジェクトを立ち上げ・実行できる	プロジェクトを終了できる	代替不可だが、他社が類似プロジェクトを立ち上げることは可能
出資者	プロジェクトの企画・実施を可能にする権力を持つ（プロジェクトの原資［資金］を所有することに由来する権力）	資金に関わるマイナスの決定によってプロジェクトを妨げる権力を持つ（複数の出資者が同様の決定を下すとプロジェクトが中止される可能性も）	特定の出資者が別の出資者に代わる可能性がある
顧客／潜在的利用者	通信容量を将来的に購入する契約を結びプロジェクトを支援できる（ケーブル会社が消費者に依存することに由来する権力）	プロジェクトに参加しないことで進展を妨げることができる（複数の顧客候補が同様の決定を下すとプロジェクト中止の可能性も）	他の顧客に代わる可能性がある
ケーブルを建設・敷設する企業	プロジェクトの統括企業と契約を結ぶことでプロジェクトを支援できる（プロジェクトに必要な技術・能力を保有することに由来する権力）	プロジェクトの統括企業と契約を結ばないことでプロジェクトを妨げることができる	限定的ではあるが他の企業に代わる可能性がある
国際機関・規制	領海の外でのケーブルシステム開発に関してはUNCLOSで権利全般が定められている	領海の外でのケーブルシステム開発に関してはUNCLOSで主な規制が定められている	
中央政府・議会	外交協力や迅速な承認プロセス（環境影響評価、環境関連の許可、セキュリティ検査など）、あるいは国家予算の支出によってプロジェクトを支援できる（国の法令、領土・領海に対して国際的に認められた主権、排他的経済水域に対する主権および管轄権に由来する権力）	承認プロセスを通じてプロジェクトを妨害、遅延、停止できる	限定的ではあるが、反対する国の領海や排他的経済水域を避けてケーブルを敷設することは可能
地方行政	迅速な承認、ゾーニング、あるいは地方予算の支出によってプロジェクトを支援できる（国の法令に由来する権力）	陸揚げを妨げることができる	ルートを変更するか、別の場所で陸揚げすることができる
漁業関係組織、環境保護活動家、NGO	宣言や声明を発表することで支援できる	特定の地域での陸揚げを複雑化、遅延、妨害できる。コストの増加、ルート変更の強要、プロジェクトとそれに関わるアクターの評判の毀損を行える（国の法令に由来する権力、またプロジェクトに対する地方・国の姿勢および国際世論に対して有する影響力に由来する権力）	

出典：筆者作成

表1.5.2　国際光海底ケーブルプロジェクトにおける権力の分布

世界的に重要なプロジェクトの中でも大きな影響力を及ぼすことがわかる。

考察

　光海底ケーブルやデータセンターは、単にサイバー空間と現実世界を結ぶ中立的・技術的な構造物ではなく、政治的な意味合いを帯びたインフラである。サイバー空間の様相と国際関係の変化（英国のEU離脱など、欧州における今後のケーブルの陸揚げや接続に大きな影響を与える事象）の間に相互作用があることは認識しておく必要がある。物理的なケーブルネットワークのあり様、そしてデータセンターの立地を左右するのは、ハードセキュリティやサイバーセキュリティに関する諸問題（接続性に対する軍当局のニーズ、政府によるデータ

へのアクセスなど）だけではない。パリ協定や地球温暖化に対する国際的な取り組みは、インターネットに依存する産業とそれを支えるインフラの両方に影響を及ぼし得るし、将来的にそうなるであろう。海面上昇は物理的なインフラにとって脅威となるため、ケーブル産業に関わるアクターがこういった国際協力の枠組みに参加するのも自然な流れである。EUはデータセンターのエネルギー効率や廃熱の再利用に関する規制を今後強めていくことが予想されるが、これも、国際的な取り決めがインターネットインフラの地理的分布に影響を与える事例の一つである。実際、そういった規制の影響で、寒冷な北方圏で新しいデータセンター投資が始まる可能性もある。

　北極横断光海底ケーブルプロジェクトが実現すれば、北方圏はデータセンターのホスト地としてさらに訴求力を増すことが予想される。北極評議会、北極経済評議会に電気通信作業部会が設置されたことも、北極における通信に世界から関心が集まっていることを示す一例である。加えて、光海底ケーブルは各国の北極政策にも組み込まれるようになっている。例えば、2018年1月に発表された中国の北極政策白書では、海底ケーブルについて直接言及している。これは既存の国際条約に基づく自国の権利に言及するに留まり、現状の変更を提案するものではなかったが、白書では中国には大陸棚の外の公海に海底ケーブルを敷設する自由があると指摘している。日本では、早くも2015年には包括的な北極政策が発表されているが、電気通信や海底ケーブルには言及されていない。

▼ 注

*1 本節は筆者による単著であるが、Mirva Salminen（Saunavaara & Salminen（2020）. Geography of the Global Submarine Fiber-Optic Cable Network: The Case for Arctic Ocean Solutions. Geographical Review）およびAntti Laine（Saunavaara & Laine（2021）. Research, Development, and Education: Laying Foundations for Arctic and Northern Data Centers. Arctic and North）と共同で実施した研究に部分的に依拠している。両名に対し、この場を借りて筆者からお礼を申し上げる。

*2 Pye, K.（2017）. The internet rules international relations. Cherwell.
URL: https://cherwell.org/2017/06/13/the-internet-rules-international-relations/; Starosielski, N.（2019）. Internet Infrastructure: Where foreign affairs and the climate crisis intersect. URL: https://www.opencanada.org/features/internet-infrastructure-where-foreign-affairs-and-climate-crisis-intersect/

*3 Starosielski, N.（2015）. The Undersea Network. Duke University Press.

*4 Pickren, G.（2017）. The Factories of the Past are Turning into the Data Centers of the Future', Imaginations Journal of Cross-Cultural Image Studies 8（2）; Vonderau A.（2019）. Scaling the Cloud: Making State and Infrastructure in Sweden. Ethnos. Journal of Anthropology, 84; Johnson A.（2019）. Data centers as infrastructural in-betweens: Expanding connections and enduring marginalities in Iceland. American Ethnologist, 46（1）.

*5 Hu, T-H.（2016）. A Prehistory of the Cloud. The MIT Press; James Maguire & Brit Ross Winthereik.（2019）. Digitalising the State Data Centres and the Power of Exchange. Ethnos Journal of Anthropology.

*6 Saunavaara J. & Salminen M.（2020）. Geography of the Global Submarine Fiber-Optic Cable Network: The Case for Arctic Ocean Solutions. Geographical Review; Submarine Telecoms Forum（2021）. Industry Report 2021/2022.

*7 Rauscher, K. F.（2010）. ROGUCCI, the Report. Issue 1, rev. 1. IEEE Communications Society; Davenport, T.（2018）. The High Seas Freedom to Lay Submarine Cables and the Protection of the Marine Environment: Challenges in High Seas Governance. American Journal of International Law Unbound 112.

*8 Shepardson, D.（2020）. FCC commissioner calls for new scrutiny of undersea data cables. Nasdaq. URL: https://www.nasdaq.com/articles/fcc-commissioner-calls-for-new-scrutiny-of-undersea-data-cables-2020-09-30

*9 Shvets, D. A.（2020）. The Legal Regime of Submarine Telecommunications Cables in the Arctic: Present State and Challenges. In Digitalisation and Human Security---A Multi-Disciplinary Approach to Cybersecurity in the European High North, edited by M. Salminen, G. Zojer, and K. Hossain. Palgrave

*10 Hudson, H. E.（2015）. Connecting Alaskans: Telecommunications in Alaska from telegraph to broadband. Fairbanks: University of Alaska Press.

*11 Lehto, M., Hummelholm, A., Iida, K., Jakstas, T., Kari, M.j. Minami, H., Ohnishi, F. and Saunavaara, J.（2019）. Arctic Connect Project and cyber security control, ARCY. University of Jyväskylä.

*12 Federal State Unitary Enterprise Morsviazsputnik.（2021）. Polar Express. URL: https://www.marsat.ru/en/polarexpress_project_description

*13 Court of Justice of the European Union. Press release No. 91/20. Luxemburg, 16 July 2020. Judgement in Case C-311/18. Data Protection Commissioner v Facebook Ireland and Maximillian Schrems. URL: https://curia.europa.eu/jcms/upload/docs/application/pdf/2020-07/cp200091en.pdf

*14 Dowding, K.（2012）. Why should we care about the definition of power?, Journal of Political Power, 5:1.

クラウドは石油や半導体の
ような存在
基盤となるデータセンターは
国の成長に不可欠

デジタル時代におけるデータセンターの役割
はどのように進化していくのか。北海道石狩
市などでクラウドコンピューティングに最適
化した大規模データセンターを運営する、さ
くらインターネットの田中邦裕社長に聞いた。
（聞き手は大和田尚孝＝日経BP 総合研究所 イノベーション
ICTラボ所長）

さくらインターネット
代表取締役社長
田中 邦裕氏

たなか・くにひろ。国立舞鶴工業高等専門学校に在学中
の1996年に学生起業し、ホスティングサービスの事業
を開始した。1999年さくらインターネット設立、社長就
任。2005年東証マザーズ上場、2015年東証1部（当時）
上場を果たす。現在クラウドコンピューティングサービ
ス業を中心に事業を展開中。社長業に加え、若手起業家
や学生エンジニアの指導に力を入れる。コロナ禍により
沖縄県那覇市に移住し、リモートワーク中心で経営に臨
む。1978年生まれ。

写真：村田和聡

**――新型コロナウイルスの感染拡大により社会のデジタル化が加速し、それにともなって
データセンターの重要性が一段と高まっているように感じます。**

　そうですね、私は今沖縄で生活をしており、仕事は基本的にテレワークでこなしています。このような生活ができるようになったのは、社会のデジタル化が加速したからにほかなりません。その背景にはクラウドサービスがあり、それらを支えるデータセンターがあります。

　歴史を振り返りますと、1990年代にインターネットが広がり始めた当初は、企業の拠点や大学の研究室などのサーバーに分散してコンテンツを置くWWW（ワールドワイドウェブ）が普及しました。その頃は「ネットの本質は通信だ」と考えられていました。

　しかし2000年を過ぎた頃から、「ネットの本質は通信ではなく、そこにあるデータだ」と考えられるようになりました。データセンターにデータが集められるようになり、拠点は複数あるものの「中央集権」と言えるような形になりました。

　その後、データを集約したビジネスを展開するプラットフォーマーが現れ、この延長線にある動きとして、企業がクラウドサービスを利用するようになりました。ネットワークを使うだけならデータセンターは必要ありませんが、計算に必要なリソースなどをスケールアップするにはデータセンターが必須です。より多くのリソースを求められるようになったことで、データセンターはどんどん拡大を続け、今に至っています。

　2022年7月にKDDIの通信トラブルが起こり、「ネットワークに依存しすぎた社会に問題があるのでは」といった声が出ました。議論すること自体はとても重要だと思いますが、一方でネットワークに依存しない社会に戻るのは現実的には難しいでしょう。そうであれば、冗長化などによって可能な限りネットワークの信頼性を高める方向に進んだほうが、総合的な生産性は高まるはずです。

> 人々が豊かな
> 生活を送る上で
> 不可欠

――ネットワークやデータセンターが、これまで以上に社会インフラとして重要になっていると。

　社会インフラと言っても「ネットワークやデータセンターがないと人々は生きていけないか」といったらそんなことはありません。でも、生存欲求以上のものを満たす、あるいは国民生活のクオリティを維持するには欠かせません。

　ITインフラについては、近年は一段と中央集権が進み、データセンターの役割が高まっているのを感じます。例えば20年以上前に誕生した交通系電子マネーのSuicaは、カードや自動改札機側に情報や計算の仕組みを持たせることでデータの改ざんを防いでいます。

これに対して、近年登場した決済手段であるQRコードの場合、読み取る部分はただの紙です。データは改ざんを防ぐためにすべてクラウド側で管理し、利用時はクラウドに毎回アクセスします。そのためQRコード決済においては、Suicaなどよりもデータセンターがより重要な役割を果たします。

——**データセンターの重要性が高まるなかで、さくらインターネットがデータセンターのビジネスを手掛ける意義を改めて教えてください。**

データセンタービジネスにはいくつかの種類があります。例えばデータセンターの設置場所を貸す不動産ビジネスや、サーバーの置き場所を貸し出す「ハウジング」、サーバーやネットワークを貸す「ホスティング」、機器のオペレーション代行などです。

我々の場合、今は自前のデータセンターにクラウドを自ら構築し、クラウドサービスを提供するビジネスに注力しています。この領域が最も需要が伸び、成長すると考えているためです。

データセンタービジネスにおいて、場所だけを貸し出すビジネスモデルは、資本集約型の装置産業とみなせます。我々のようにクラウド型でオンデマンドのサービスを提供する形は、ネットビジネスです。これら2つは、関連し合う部分はありますが、ビジネスの形態としては全く異なります。

当社の事業は、資産に付加価値を付けてサービスとして提供している、という点でホテル業に似ていると思います。ホテルの場合、顧客は部屋という不動産だけでなく、サービスも含めた体験に対してお金を払いますよね。クラウドサービスも同様です。データセンターやサーバーといったハードウェアに対してではなく、ソフトウェアやサービスを含めた体験に対して対価が生まれます。サービスの価値を生み出す源泉は人です。ですから当社は（設備などよりも）人的資源に投資し、サービス向上を図っています。

写真：村田和聡

──サービスを提供する場合、サーバーやデータセンターなどのインフラは他社から借りる形もあるかと思うのですが、データセンターまで自社で手掛ける理由はどこにありますか。

　サービスの品質とコストをコントロールするためです。例えばハードがサービスに及ぼすコストを少しでも下げるためには、用途によってクオリティを考えながら可能な限り安価なハードを使う努力が欠かせません。

　我々だけでなく、外資系のプラットフォーマーも自社で施設を持ち、社員を雇用しています。石狩市のデータセンターは例外的に土地も所有していますが、それ以外の場所は原則的に土地や建物を借りてデータセンターを建設・運営しています。

　ただ、すべてを自社で持つことによって、近年はセキュリティ面でもご評価いただくケースが増えています。ハードを別の事業者から借りた場合、その上のレイヤーでいくらセキュリティ確保に注力しても、下のレイヤーで問題が起きたら対処できません。責任あるサービスを提供するためには、コアコンピタンスと言えるような部分はすべて自社で担うことが必要です。

──日本でクラウドサービスを提供する企業として、データセンターの立地にはどのような重要性があると考えますか。

　公共関連や個人情報などの重要なデータを扱う上で、大切なことが3つあります。まず、日本国内のデータセンターにデータを置くことです。次に、データを海外からオペレーションしないようにすることです。最後に、パブリッククラウドによるシステムの共用を避けることです。これら3つの中でも、一つめの立地が特に重要です。

　これらの条件を満たすからといって、「質が悪くても国産のクラウドを使うべき」「厳しい基準では国産のクラウドが採用されないので、調達基準を下げるべき」という考え方は許されません。クオリティやサービスレベルは妥協してはならないのです。

　では現実的に、外資系プラットフォーマーに並ぶような高品質なIaaS（インフラストラクチャー・アズ・ア・サービス）を提供できるクラウド事業者が日本にあるかというと、残念ながらあまり見当たりません。クラウド事業者が育っていないのが、日本の課題だと思います。

　国の支援を当てにしているIaaS事業者が多くあります。でも私はまず自分たちで投資して成長すべきだと思います。それができないと、日本全体のデジタル化、いわゆる「デジタル立国」の取り組みを支えるような存在にはなれません。

　立地やセキュリティとは別の視点からも、日本のクラウド事業者が育つ必要性を感じることがあります。

日本は
クラウド事業者が
育っていない

——具体的にはどんな視点でしょうか。

　プログラマーやコンピューティングリソースの枯渇に備える、ということです。今後起こり得る社会的リスクです。

　クラウドサービスは今や、かつての経済成長を支えた石油や半導体のような存在に近づいています。経済成長を支えるこの根幹部分を外資系企業に頼ってしまうと、ある時期に「日本には提供可能なクラウドのリソースがこれだけしかない」となった時に身動きが取れなくなってしまう恐れがあります。

　外資系企業が、これからもずっと日本向けに十分なリソースを確保し続けてくれる保証はありません。国内でクラウドのリソースが足りない状況が発生しないよう、日本の事業者が潤沢にリソースを提供できる状況になっている必要があります。

　こういった状況を踏まえれば、近年よく耳にする「日本のクラウドは駄目だ、外資系のサービスを使うべき」という意見は、やや近視眼的な視点ではないでしょうか。10年後、20年後を見据え、日本の事業者を応援していただける機運が高まれば、と願っています。

——日本のクラウド事業者のサービスを国が使う場合、どのような課題がありますか。

　「課題だと指摘されているけれども実際は違う」と言える部分と、真の課題と言える部分があると思います。

　前者については、例えばデジタル庁が示すIaaSの調達基準に関する部分です。必要がないと思われる機能まで含め、かなりの多機能が盛り込まれています。特定の外資系プラットフォーマーしか提供していない機能が含まれているケースもあります。本当に必要な機能だけを見極めてもらえれば、我々を含む日本のクラウド事業者も選定の対象に入るはずです。

　後者については、技術面に関しては外資系プラットフォーマーのほうが日本の事業者より3〜4年進んでいるのは事実です。その事実を正面から受け止め、キャッチアップできるように努力しなくてはいけません。

　「3〜4年の間に外資はさらに進んでしまうのではないか」という指摘はあると思いますし、実際にそうでしょう。ただ、技術のコアと言える部分は3〜4年では変わらないとも言えます。日本の事業者を採用して、技術をキャッチアップさせるよう促すことに意義があると思います。

　別の見方をすると、1社だけが提供しているような最新技術を採用してしまうと、他社への切り替えが困難になります。「ベンダーロックイン」につながる危険性があるわけです。

国産クラウドを使えば、地方も活性化する

——以前は日本の大手IT企業が官公庁の
システムをベンダーロックインしている、
とよく言われていましたが、国内大手が外
資系に変わるだけでは問題の解決になりま
せんね。

そうです。ベンダーロックイン問題の解
決は、我々というよりも地方の事業者に活
躍の場を与えることにつながります。
2000年ごろには全国にIT事業者が多数あ
り、地方にもIT企業が数多くありました。
しかしその後、大手企業が地方の事業者を
買収してしまいました。東京への一極集中
の動きもあってIT企業は東京にしかなく
なり、地方の事業者は大手の下請けあるい
は孫請けだけをするような形になってし
まったのです。

国産のクラウド事業者のサービスが官公
庁や自治体で使われるようになれば、地方
のIT事業者がクラウドサービスのインテ
グレーションで活躍する場ができます。政
府共通のクラウドサービスの利用環境「ガ
バメントクラウド」にも、地方のスタート
アップが提供しているSaaS（ソフトウェ
ア・アズ・ア・サービス）が入る余地があ
るといいなと思います。

——データセンターを運営する場所として
の北海道の魅力を教えてください。

東京の電力が足りなくなってきているな
かで、北海道にはまだ余裕があります。自
然に恵まれ、地熱や風力などの自然エネル
ギーも利用できます。土地が広いので、高
いビルではなく平屋でデータセンターの建
物を安価に建てることができます。それに
よってエネルギー効率を高められます。

北海道に限りませんが、地方都市は生活しやすく、豊かであるという長所もあります。例えば東京の出生率は都道府県単位で見ると群を抜いて低く、それは子育てしにくさを表している面もあります。地方であれば、子育ての環境をはじめとして得られるものが多くあります。ITに関わる仕事をするのであれば地方に住んでいても、今やリモートで問題なく業務をこなせます。冒頭で述べたように、私も現在沖縄に移住し、リモート中心で仕事を続けています。

「データセンターができると雇用もたくさん生まれる」と誤解されることがあるのですが、それは少し違います。例えば我々が石狩市にデータセンターを作った際、最初は5人で運営していました。これだけの少人数で問題なく運用できます。今は関連業務などが増えたこともあり50人ほどが働いていますが、テレワークなのでほとんどセンターに行くことはありません。

ただし、データセンターという「器」を作ることで、それを活用して人を集めることはできると思います。学生が学ぶための拠点をデータセンター内に作るなど、様々な活用の仕方が考えられるはずです。

当社は「デジタル化」「教育」「スタートアップ」と並び、「地方創生」を重要なテーマと位置付けています。「スタートアップのための部署を作ろう」「人事で教育をしよう」といったアプローチではなく、全社で、全従業員がこれらのマインドを持とう、と呼びかけています。例えば「大手が出しているツールよりも、スタートアップのツールを優先的に使おう」と各部署に伝えています。現在はスタートアップのツールのほうが安価で優れているケースがよくあります。まずスタートアップのツールを候補に選定するのは合理性があります。地方創生についても同様に、「地方で何か始めましょう」「ある部署の仕事を地方に移転させましょう」といった考え方ではなく、全社の全てのビジネスの拠点として、地方都市を当たり前のように組み入れる発想が大事です。

——今後の北海道にどんな期待を持ちますか。

先ほどの繰り返しになりますが、土地が広く、エネルギーも十分にありますので、多くのデータセンターが建つことを期待しています。北海道で事業が成り立つのかと心配されるかもしれませんが、すでに我々が事業を展開しているので、「自分もできるはずだ」と思ってもらいやすいのではないでしょうか。我々は上場企業なので、北海道でどのように事業運営をしているかは開示資料をご覧いただければおわかりいただけます。

我々は石狩市で10年以上にわたりデータセンターを運営しています。データセンター開設当時の石狩市は、ITがかなり廃れてしまっていました。石狩市から敷かれていた海底

北海道に
データセンターを
作る意義

ケーブルがあまり使われなかったため、ちょうど廃止されてしまったタイミングでした。当社がデータセンターを開設し、新たにケーブルを買うなど設備のアップグレードを続けたことで、市側もITに注目するようになり、いろいろと積極的にご提案いただけるようになりました。この経験を通して「ものごとは火種がないと燃えない」と実感しました。

ものごとは火種がないと

　データセンター事業者はかなりの額の固定資産税を納めます。石狩市の成功を見た他の自治体も、データセンターを誘致できないかと色めき立っています。自治体から助成金が出る場合もあります。多くの事業者に北海道にデータセンターを作ってもらいたいと思います。

　データセンターの運営で大事なのは、サービスを継続的にアップグレードすることです。日本はものづくりが得意な納品文化で、ITも長期にわたってプログラムを納品する受託開発が中心でした。受託開発の良くないところは、納品して終わってしまう点です。我々はサービスを提供しているので、契約していただいてから利益が発生します。常に優れたサービスを提供しないと顧客が離れてしまいますから。

　石狩市のデータセンターも、建物は変わっていませんが中身は刷新しています。例えば空調方式や部屋の構造などをがらりと変えていますし、サーバーなどのハードウェアももちろん交換しています。テクノロジーのトレンドをキャッチアップできるように常にアップグレードをしているのです。データセンターのような装置産業の場合、減価償却が終わって劣化したハードを使い続けるのが最も利益が出ます。しかし、我々はサブスクリプションモデルでお金をいただいていることを強く意識し、常に変わる努力を続けています。そしてこれからも続けていきます。

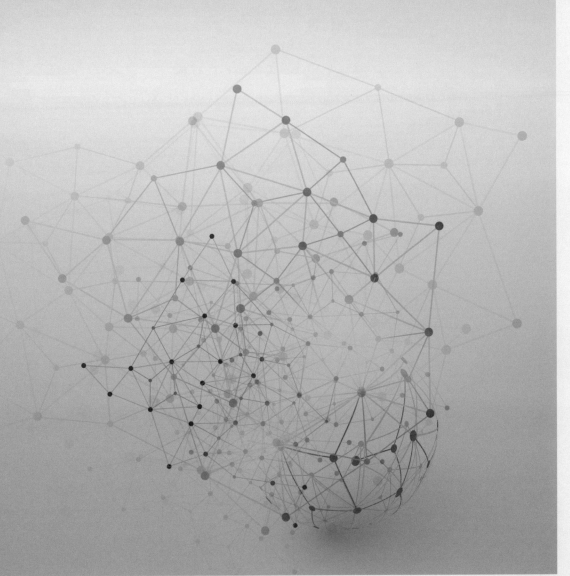

第 2 章

2040年の
インターネット

2.1 2040年のデジタル社会が求める インターネット、 データセンターのスケール予測

中村 秀治　Shuji Nakamura
三菱総合研究所 執行役員／三菱総研DCS 常務執行役員

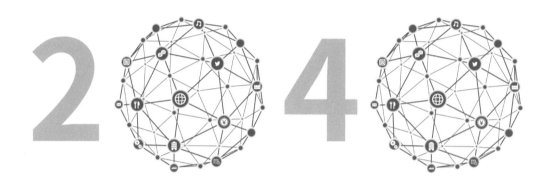

現在、世界のインターネットトラフィックは、映像系データを中心に増加が続いているが、2040年に向け、新常態によるコミュニケーションスタイルの変革が進み、より一層急増することが予想される。それにともない、データセンターに求められるパフォーマンスや機能にも多様化が見込まれ、そうした要求に沿ったデータセンターの構築が必要となる。

本節では、2040年のデジタル社会を展望しつつ、時代の要請に応え得るデータセンターの態様について考察する。

2.1.1
インターネットトラフィック急増要因は映像データとその解析

インターネットトラフィックを世界中で急増させているのは、何といっても、映像系データの流通である。特に、話題のTikTok等による近年のUGC（User Generated Contents）の台頭と、在宅勤務、遠隔教育等で利用されるWeb会議システムによるアップストリーム系の映像データ流通であり、構造変化が著しい。加えて、監視カメラ映像についても、これまでは端末の近くで蓄積されるだけだった用法から大きく変わり、適度にクラウドで解析するケースが増えている。UHD（Ultra-High Definition）

やHRD（High Dynamic Range）等の高品質化も相まって、これまでは不可能だった検証や解析が容易にできるようになりつつあり、蓄積管理、ビッグデータ活用等のデータ利用シーンとともに、インターネットトラフィックに革命的に影響していく。これらはいわゆるM2M（Machine to Machine）の類型でトラフィック分析を行うべきものと思われるが、映像データを中心に最も影響が大きい。

VR／MRによる映像利用も急増する。エンターテインメントだけではなく、製造や流通、販売、サービス分野へと応用範囲が広く、常に学習しながら限りなく進化するはずであり、どれだけネットワークとコンピューターのリソースがあっても足りないくらいではないだろうか。サーバからユーザーへという単純な流れではなく、多様な知識集積の間を縦横無尽に流れ、解析結果があちこちに蓄積され、瞬時に利用される極めてダイナミックなデータトラフィックの様相を呈するはずだ。

デバイスやIoTの要因

スマートフォンの普及と端末能力の飛躍的向上も影響が大きい。現在はまだ、キャリアコストがトラフィックを抑制する方向になっているとは思われるが、自宅やカフェのWi-Fiでオフロードというユースケースがメジャーになると、光回線やWi-Fiの進化を時差なくあっという間に食い潰しながら、トラフィックの主役を担っていくこと

が容易に想像できる。今のところ、スマートフォンの周辺機器でもあるウェアラブルデバイスが、スマートフォン並みの能力を獲得しながら拡大することも、VR／MRと同様のインパクトで想像の範囲にあるだろう。

IoTによる様々なセンシングデータの流通量は、映像系データの量と比べるとわずかであると言われるが、増加する一方だろう。環境、エネルギー、システム稼働等、蓄積すべきかどうか判断が難しいものも多く、時間粒度や計測対象範囲の広がりや密度も、どこまでどの程度蓄積しておけば有効なのか、決着がついていないものが多い。ヘルスケア分野でも、2020年に弘前大学の研究チームが、健診データ3000項目のうちわずか28項目で有意なAI予測が可能との研究成果を発表した。こうした研究成果による効率化や、新アルゴリズムを獲得し進化を得るためにも、初期には広範で大量のデータによる解析作業を必要とするのも確かだ。

CPUの能力向上も、集中と分散を繰り返しながら、「半導体回路の集積密度は1年半〜2年で2倍となる」というムーアの法則のまま推移してきているようだ。ムーアの法則も毎年のように終焉説が流れるが、今のところ、3次元構造化によって使用される材料も大きく変化するなど、いくつかの劇的な変化が進行中である。半導体もさることながら、DNAへのデジタルデータの保存も実用化されつつある。ハードディスクやフラッシュメモリでのデータの保存期間は10年以上だが、DNAストレージは1グラムで215ペタバイトのデータを

何千年も保存できると言われている。記憶保持に必要な電力も、様々な省力化が図られていくことが予測できる。

2.1.3

光ネットワークの進化

ネットワーク側の進化も急展開しそうだ。効率化を図る技術で、NTTが進めている「IOWN（Innovative Optical and Wireless Network）構想」の行方がカギとなるだろう。ネットワークから光信号で届いたデータを電気信号に変換して、メモリやCPUに入力するという手法が一般的だが、光と電気の変換作業（光電変換）に電力がかかる。これをできるだけ光信号のまま、光電変換を最小化して済ませようとする技術がIOWNの「オールフォトニクス・ネットワーク（APN: All-Photonics Network）」である。「光電

融合技術」とも呼ばれており、2030年ごろの実現を目指しているという。無線区間ではもちろんあまり効果的ではないが、固定網のバックボーンなどではかなり効果が期待できるのではないだろうか。

光は1秒で地球を7周半する。光でつながっている限り、地球上のどこにあるCPUでもメモリでも瞬時に低消費電力で統合化が可能となり、一台のスーパーコンピューターとして使えるようになる。

2.1.4

今後のインターネットトラフィックの予想

さて、こうした背景を踏まえると、インターネットトラフィックの予測はどうなるか。

MRI（三菱総合研究所）ではここ数年、2030年予測を用いている。上記の革命的な変化を十分には織り込めていないが、少

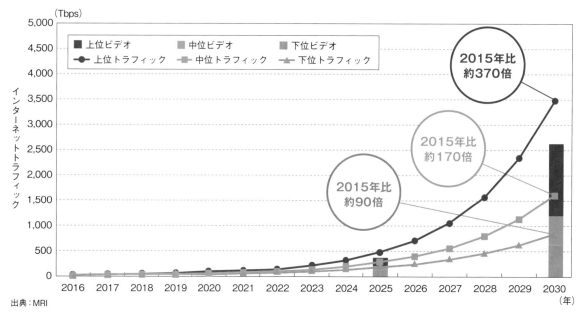

出典：MRI

図2.1.1　日本におけるインターネットトラフィック推計の例

なくとも2015〜2017年周辺で観測され
ていた過去の傾向や技術見通しは前提にお
かれていると考えていただいてよい。

　この予測結果によると、日本におけるトラ
フィックとしては、上位シナリオの場合、
2020年に約65Tbps（約20[EB/月]相当）、
2030年に約3,500Tbps（約1,100[EB/月]
相当）に達する。下位シナリオの場合であっ
ても、2020年に約40Tbps（約13[EB/月]
相当）、2030年に約840Tbps（約272[EB/
月]相当）程度になることが予想される（**図
2.1.1**）。

　2000年代における予測作業もそうで
あったが、この分野の予測はどうしても級
数的結果になってしまう。10年先を予測
する際に過去10年の傾向を土台とするの
は予測の鉄則だが、インターネットトラ
フィックに限っては、綺麗に級数曲線にハ
マってしまうという繰り返しで来ている。

前述したように、ムーアの法則が2020年
も終焉していないことから類推しても、過
去15年の傾向を土台に2030年の予測を
試みたMRIの推計は、確からしいものとし
て参照に値すると考えてよい。

2.1.5
2040年のインターネット
トラフィック

　2030年からさらにその先10年後となる
2040年はどうなのか。2030年の2の5乗
倍に成長していると考えるのが素直なとこ
ろであるが、その世界をイメージするのは
難しい。JSTの低炭素社会戦略センターが
2019年3月に公表した「情報化社会の進
展がエネルギー消費に与える影響（Vol.1）
－IT機器の消費電力の現状と将来予測－」
では、世界のインターネットトラフィック推
計で2016年4.7ZB／年、2030年170ZB／

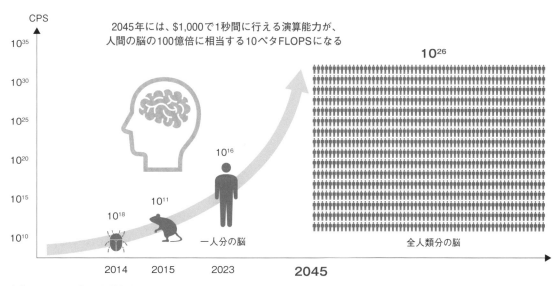

出典：2019.6　日本IBM提供資料より作成

図2.1.2　2045年の演算能力

年、2050年20,200ZB／年という数値を参照している。2016〜2030年で36倍、2030〜2050年で119倍となっているが、この傾向に従えば、2030〜2040年は10倍程度に増大する計算になる。

脳科学をデータ処理として解析できれば、これくらいの規模でも少なすぎるのではないかと考えることもできる。脳がとんでもないコーデック処理、あるいはスパースで超効率的なデータ処理をして経験や知識の管理と身体へのコントロールを行っているらしいことはわかりつつある。IBMは「2045年の演算能力」という興味深い予測を公表している。2045年には1000USドルで1秒間に10ペタFLOPSの演算能力の提供が可能となり、この能力は100億人分の人間の脳の能力に匹敵するという。100億人とは、2045年の全地球予想人口だ。

2.1.6

DCの需要構造

さて、肝心のデータセンター（DC）の予測についてはどんなものがあるか。よくあるのはDC市場の金額規模予測だ。しかし、インターネットトラフィックの予測でいくつかの視点を用いたが、物理的な容量や地理的分散の可能性、消費電力の行方も技術革新が激しく、かなり予測が難しい状況だ。

トラフィックの伸びでは、依然として、アジアパシフィックの急増が地球全体の動きをリードするはずだ。ASEAN、日韓台、中国で20億人以上の、最先端デバイスを使いこなしそうな人口がある。このマーケットがたった2時間の時差の中に入ってしまっていることも、ビジネス活動の密度感をイメージすると、極めて意味が深淵で、DCの配置にも大きな影響を及ぼす。GDPRの影響で、インドネシアがいち早くDCからのデータ持ち出し（もちろんネットワーク越しにも）禁止措置に動いたのは記憶に新しく、衝撃的でもあったが、こうしたガバナンスの影響をどう読むかも難しい。裏を返せば、1億2500万人の日本のデータも、鎖国するかどうかは、実は世界経済的に小さくない。何と言っても日本は、個人の預貯金レベルが極めて高い。

COVID-19による影響で社会的物理的距離確保の必要性が生じたことは、これまでの大都市集中型のワーク＆ライフスタイルを変革する方向に働く。ロックダウン等が断続的に実施され、経済活動へのダメージが無視できないために、DC需要へのファンダメンタルなマイナス影響は避けられないものの、中期的には、働き方や暮らし方の自律分散が一層進展し、インターネットとDCへの需要は増大する。

一般的に、DCはクラウド系と非クラウド系に分けられる。クラウド系とは、Google、Amazon、Microsoftなどのサービスや、それらのサーバに稼働環境を提供するコロケーション事業者とも呼ばれるDigital RealtyやEquinixなどである。非クラウド系とは、従来型のWebホスティングや業務システムアウトソーシングなどであり、プライベートクラウドと呼ばれていたこともあった。しかし、企業のITインフラ（サーバ、ストレージなど）をクラウドに移行させる動きは加速しており、COVID-19や

2025年の崖対策の影響もあるため、DCサービスの利用形態も従来型のサービスから急速にクラウド系にシフトしていく。その結果、DCサービス市場では、クラウド系の伸びがその成長の牽引役となっている。

2.1.7

ハイパースケールDCの動き

クラウドサービス拠点としての大規模DC需要は増加傾向が続き、拡大するキャパシティ需要に対応するための大規模建設投資が継続すると同時に、用地や電力の確保が課題となる。これまでは、ハイパースケールDCと呼ばれる、大規模なコンピューティング能力を備えた巨大な企業が展開するDCが市場を牽引し、国内では東阪への集中立地が進んでいた。運用のための人材の偏りと、DC内の相互接続需要の増大、

事業者同士のDC間での自力光ファイバー敷設等の動きが、東阪集中立地を促してきたとも言える。これらはハイパージャイアントという表現もあり、インターネットトラフィックを膨大に収容して圧倒的なパフォーマンスを出す。

SDNの事業交渉でK社を訪れた時の衝撃も忘れられない。同社は、Linuxの若手の使い手を駆使しながら自前でSDNを実装していたが、日系企業と思っていたのにもかかわらず、さっさとC社の傘下に入り、日本を捨てて香港・シンガポールに拠点を移してしまった。E社に行った際には、箱ビジネスに徹している我々は、E社からSDNは不要とまで言われてしまった。ハイパージャイアントのDC内部では、L2で容易に相互接続できてしまうので、それで用が足りていたわけである。地域IXなどと言っている段階で、それが幼稚にさえ思えたものだ。

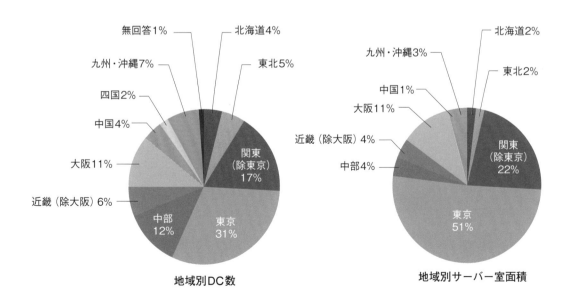

地域別DC数　　　　　　　　　地域別サーバー室面積

※全国を100%とした割合を%で表示。
資料：日本データセンター協会（JDCC）アンケート（2019.2）

図2.1.3　国内DCの立地状況

DATA CENTER

2.1.8

地域別DC立地ニーズ

2017年のIDCによる調査では、国内9万カ所、うち商用で運営しているDCは600カ所程度となっている。そのほとんどが自社で運用しているDCで、その大半はサーバルームのような小規模な施設を持つ企業になる。

日本データセンター協会（JDCC）のアンケート調査によると、600カ所程度の事業用データセンターのうち、東京と関東圏に半数が集中していると見られ、サーバ室の総面積比で見ると、東京・関東には大規模センターも多いため、東京・関東で全体の4分の3を占める。この傾向はここ5年ほど変化がなく、所在DC数の順位とサーバ室面積の順位を比較する限り、神奈川、群馬、福島などに規模の大きいセンターがある一方、愛知、北海道などは「地方拠点都市に多い小型センターからの回答」も多いものと推測されている。

最近は、東京、関東、大阪のような密集地域において、新設（特に大型）DCへの電力供給に数年の時間がかかるとされ、懸案事項となっている。また、2000年以後にDC建設が集中して「供給過多のラッシュ」があったが、これらの施設は、15年更新の非常用発電装置を筆頭に、様々な機器の交換が迫られており、一部にはDC施設の転売・転用などの動きもみられる。

2.1.9

今後のDC需要の変化

一方、海外では逆に、良質な電力を求めてローカルエリアに立地する例が少なくない。DC事業者は可能な限りサーバやネットワーク機器、電力機器や空調機器などの資源を一施設へ格納し、効率の良いITインフラ設備を実現しようとする。特に電力の問題は、環境経営でも対災害性能でも大きく影響するようになる。コンピューターやネットワークの各リソースの低消費電力化が進むと、ハイパースケールDCの構成も変化する可能性がある。

マルチクラウド化が進む中で、IOWNのような構想が実現性を帯びると、CPU（GPU）、メモリ、ストレージ、ネットワークの各リソースの分散立地も可能となる。人材よりも、地域の電力環境や対災害性能等のほうが、立地の決定要因として比重が大きくなる可能性が高い。

ビッグデータ時代とは言うが、実際のところはデータベース内にデータを保存し、同一DC内でデータハンドリングしていることが多いのが実情である。本来は、データ保有者である企業等が、資産であるデータを自由に扱えるべきなのだが、現状では、パブリッククラウド上のアプリケーションとデータの結合度が高く、データだけを移行・変更することが非常に困難となっている場合が多い。要するに、GPUと記憶領域を地球上から自由に選択してコンピューティングするといった技は現実的でない環境にある。しかし、この先、IOWNの実装に先行して、ソフトウェア的にマルチクラウドを適切に活用し、アプリケーションとミドルウェアをシンプルかつ軽量化し、データ利用の自由度も維持して運用する時代に入っていく。

2.1.10

ストレージソリューションとDC

貴重な資産であるデータ管理のための新たなストレージソリューションの登場が、マルチクラウドを後押しする。これらは、オールフラッシュ並みに高速で信頼性が高く、ディスクアレイ並みに大容量で低価格、

さらに、保守サポートも充実している。高い信頼性と安全性を必要とする金融機関やセキュリティ監視サービスが、積極的な導入を開始している。

ストレージの課題は、映像アーカイブスで最も顕著になるはずで、死蔵とは言わないが、非アクティブな状態で、いざという時に出動するという類のストレージ容量が、どの程度、どこに存在できるかが大きなカギとなっていくのではないだろうか。NHKアーカイブスの支援をした際には、放送品質で送出された完パケの映像プログラムデータ、制作に使われた素材を含む映像＆メタデータ、さらには、DATによる膨大なラジオ音声データ等、大半は非アクティブで、そのデジタル処理後の保管はLTO（テープメディア）となっていた。デジタル庁がうまく機能し、裁判証憑も含めてデジタル化が進むとすると、税務書類等、紙でしか残されていない過去の情報の映像系データ形式への転換と蓄積が行われると予測されるが、これらの蓄積管理方法もどうなっていくのか興味深い。

15世紀の活版印刷発明以降の情報は非デジタル状態、つまり、コンピューターが判読し難い状態で、着実に劣化しつつ世界中に賦存している。

これに加えて、Web会議をベースとして、遠隔医療・介護や教育などの地域活動が、映像を含む膨大なデジタルデータとして生み出され続けるが、その蓄積管理・活用をどうしていくかが、DCの構成や運用を決めていく。

超低消費電力化技術とDC

2005年に、IT機器の消費電力の急増が問題となり、超低消費電力化技術への取り組みがCRESTのテーマとして実施された。当時全国の総消費電力量のうちIT機器の占める割合は3.3％で、全体の1/30であったが、低消費電力化を進めなければ2010年に6.4％、2015年に11.8％まで伸び、2020年には21.1％、全体の1/5を超えるという推計を行った。IT機器が今後の消費電力にどれだけ影響を与えるか、ひいては地球温暖化にどれだけ影響を与えることになるかが如実に出る結果となった。しかし、実際には、2019年にJSTが試算したデータによると、2016年時点で6.0％という状況のようである。省電力技術が効果をあげていると言えるが、10年で倍増しているという評価もできる。

この先10年後、20年後はどうなるだろうか。

実際に、日本の総電力使用量[*1]は2007年の1,077TWhから2021年の916TWhまで少しずつ減少してきてはいるものの、2011年の3.11東日本大震災以降、本来であれば、もっと顕著な省電力化が進んでもおかしくないはずだが、実際には遅々としている。この傾向の中で、IT機器の消費電力量が上がって行けば、影響は依然として大きいと予測せざるを得ず、省電力化技術の進展と再生エネルギー活用等の対策は、避けては通れない。

▼ 引用・参考文献等
---
*1 国内の電力消費量（日本）
   https://yearbook.enerdata.jp/electricity/electricity-domestic-consumption-data.html

2.2 地方創生とインターネット
インターネットの構造・特長を地方の社会インフラに適用する

江崎 浩　Hiroshi Esaki
東京大学大学院 情報理工学系研究科 教授 WIDEプロジェクト 代表
デジタル庁 Chief Architect

Regional revitalization

　今や、すべての都市や街の社会・経済は、インターネットの存在を前提とし、様々な活動がデジタルネットワークを利用することで成り立っている。このため、都市には高性能で高機能のインターネット基盤が必要となり、それらはグローバルなネットワークに接続され、信頼できるデジタルデータの自由な流通が実現されなければならない。

　本節では、インターネットの構造や特長をいかにして都市の中に落とし込み、活用することで都市の発展につなげていくか、その方策について考察する。

2.2.1
インターネット遺伝子の新しい覚醒

　インターネットアーキテクチャという遺伝子（＝プログラム）が、生存機械としてスイッチ、ルータ、コンピューターを選択し、The Internetが形成された。The Internetというインターネットアーキテクチャ遺伝子が形成した生存機械の中には、光ファイバーやデータセンターあるいは電力システムなど、スイッチ・ルータ・コンピューターを接続・収容し、稼働させるための物理インフラも必要となり、適切な生存機械である物理インスタンスが選択され

た。もちろん、生存機械に関する選択肢は、オープン性を持っているモノほど、その時の状況・環境に適したものに変更する障壁が小さい。インターネットアーキテクチャ遺伝子は、生存機械がオープン性を持つことを推奨（Encourage）し、さらに、オープン性を持つことがその生存機械自身の繁栄とThe Internetの繁栄に寄与する前提（Premise）であり、必要条件であることを啓示・提示し続けてきた。

The Internetは、すべてのコンピューターが持つデジタル情報をグローバルに通信・共有・加工可能なインフラである。コンピューターは、すべての物理インスタンスを抽象化（＝デジタル化）し、その管理制御をデジタルのプログラムで実現可能にしつつある。すなわち、サイバー空間と物理空間の融合（CPS：Cyber Physical System）である[1]。それ以前の社会インフラは「物理ファースト（Physical First）」で、コンピューターは物理空間の作業の効率化を実現していたに過ぎない。しかし、近年では、CPSの状況は急激に「サイバーファースト（Cyber First）」に進化しつつある。旧来のThe Internetは、ほぼ、サイバー空間に閉じていた。つまり、いわゆる汎用のコンピューターの間でのみ、デジタルデータが流通していた。これが汎用のコンピューター以外に拡大する過程で、サイバー空間に物理空間の複製（デジタル・ツイン）が可能になりつつあると認識されようになった。

しかし、実際には、様々な物理製品の設計において、サイバーファーストの状況・環境が構築されてきていた。コンピューター上に、物理製品とその製品が存在する物理空間の物理法則も定義・模擬（＝デジタル試作）することで、その製品の挙動や特性をシミュレーション（simulation）することが可能になってきた。すなわち、物理実体を用いた"実験"を行うことなく、デジタル空間に構築された模擬空間でのシミュレーションによる"模擬実験"を行うことで、高精度の評価が可能となった。様々なコンピューター上での"模擬実験"で候補となったモノを実空間に展開（＝物理的試作）し、物理実体を用いた実験評価を行うという製品の研究開発が一般化してきた。旧来は、たくさんの物理的試作と実験から共通の法則や経験知を見出す手法が一般的であった。すなわち、「物理ファースト」である。

コンピューター、すなわちサイバー空間・デジタル空間の能力が不足している時代には、簡略化された物理インスタンスの挙動をコンピューター上で模擬化（Emulation）し、シミュレーションを行っていたが、実際の物理空間の正確な模擬化は実現できていなかった。しかし、サイバー空間・デジタル空間の能力の劇的な向上によって、ほぼ、正確な物理空間に存在するインスタンスの模擬化が可能となり、その結果、サイバー空間・デジタル空間での評価が物理空間での評価よりも先に行われるようになってきたのである。これが、「物理ファースト」の「デジタル・ツイン」を経由し、「サイバーファースト（あるいはデジタルファースト）」に向かう急激な進化のプロセスである。

このようなサイバーファースト（あるいはデジタルファースト）への進化には、サイ

バー空間で定義されるインスタンスと物理空間に存在するインスタンスとの間でのアンバンドル化が行われる必要がある。これは、物理インスタンスのサイバー空間に対する汎用化・共通化である。サイバー空間を上位層、物理空間を下位層として捉えると、上位層と下位層との間でのインターフェースの共通化・標準化・汎用化である。この進化においては、生存機械である物理空間のインスタンスは、汎用技術を用いたインスタンスへの進化を遂げることになる[*2]。この現象（＝進化）は、汎用のコンピューターだけではなく、組み込み機器を含むIoTデバイスに対しても急速に進展している。IoTデバイスにおける機能（Function）と物理デバイス（Thing）のアンバンドル化である。機能がサイバー空間に、物理デバイスが物理空間に対応する。物理デバイスが汎用化することで、機能は自由に物理デバイスを選択可能になるとともに、機能が自由に物理デバイス上を移動することが可能になる。さらに、機能は、物理デバイスの制約なしに相互接続が自由に行えるようになる。これによって、水平方向、すなわち、機能間での自由な結合・連携が可能となる。

　最後に、物理デバイス間での相互接続性が実現されれば、コンピューター間での論理的相互接続と物理的な相互接続の両方で実現されているThe Internetをコンピューター以外の物理インスタンスに拡張することが可能となる。この実例として、物流システムやエネルギーシステムが挙げられる。物流システムは、コンテナとパレットの導入によって、それまで融合・連携することができなかった排他的な物流システム

が統合されることになった。コンテナとパレットの導入によって、運ばれる荷物と荷物を運ぶ輸送媒体（車＋道路、列車＋線路、船＋海、飛行機＋空[*3]）の両方に非依存の、共通の基盤（プラットフォーム）が形成された。シェアリングエコノミー型のインフラである。

　エネルギーシステムも、エネルギーの変換技術により、エネルギーを蓄積する媒体の間でのエネルギーの移動が可能になり、エネルギーのシェアリングエコノミー型のプラットフォームへと向かっている。エネルギーシステムにおいては、石炭、石油、蒸気、熱、化学物質などをエネルギーの蓄積・輸送媒体と捉えることができる。

2.2.2
インターネット遺伝子に基づいた都市づくり・街づくり

　このように、サイバーファーストの社会においては、サイバー空間での物理空間と物理空間に存在する物理インスタンスの選択と配置、物理インスタンスの結合技術とトポロジーの設計図の創成力が、生存機械である都市・街の価値と繁栄力を決定することになる。また、物理インスタンスの共通化・標準化・汎用化の進展にともない、以下の2つが都市・街の繁栄力にとって重要な要素となる。

（1）物理空間：
競争力のある生存機械
（2）サイバー空間：
競争力のあるプログラム

すなわち、スイッチ・ルータ・コンピューターで構成されるデジタル情報の送受信・共有・加工を実現するインターネットの存在と利用を自明の前提条件とし、さらに、これまでサイロ化していた様々な物理インスタンス（および複数の物理インスタンスで構成構築されるシステム）が、「インターネット遺伝子」に基づいて、共通化・標準化・汎用化され、相互接続可能なシェアリングエコノミー型の社会インフラが形成されなければならない。この社会インフラは、プログラマブル、すなわち、Software Definedであり、状況・環境の変化に柔軟かつ迅速に対応・変容可能であり、さらに、プログラムによって、その特長と競争力を醸成することが可能となる。

我々は、「ポストコロナ社会に資する社会インフラ」として、このようなSoftware Definedな社会インフラを創成して行かなければならない。このような各都市・街固有の特長・特性を持ったユニークでグローバルに接続され、かつ、グローバルな競争力を持った街づくり（プログラミング⇒評価⇒実装）を実現しなければならない。

21世紀型の都市・街のグランドプランとして、国土交通省は「コンパクト・プラス・ネットワーク」を、環境省は「地域循環共生圏」を提唱している。これらは、各地域にコンパクトでSDGs[*4]を実現する都市・街を創り、それらをネットワーク化するという、自律分散型ネットワークの創成であり、自然災害などによる非常事態への対応能力とリスク管理能力を持ちつつ、グローバルなネットワーキングが可能な都市づくり・

街づくりを提唱している。リスク管理能力の観点から自給自足能力が必要になるが、各都市・街が、自己優先的な「Me First」になり、排他的あるいは非対称な関係をその他の都市・街に形成するという考え方ではない。ボトムラインとしての適切な期間での自給自足能力を確保しつつ、その上で、グローバルなシェアリングエコノミー型のネットワークを形成しようという方向性である。以下、このような、特長・特性を持った都市・街を「スマートシティ」と呼ぶ。

このような観点に立脚して、データセンターの貢献とデータセンターに関係する物理インスタンスとのエコシステムの創成に関して、以下の3つのポイントで議論したい。

（1）高性能・高機能のインターネットの存在が前提
（2）戦略的データセンターネットワークの必要性
（3）エネルギーシステムにおける戦略性

2.2.3
高性能・高機能のインターネットの存在が前提

すべての都市・街における社会・産業活動は、インターネットの存在を前提とすることとなり、さらに、様々な活動がデジタルネットワークを利用して実現されることになる。活動の多様性が広がることは自明であり、すべての都市・街の、すべてのサイバーインスタンスと物理インスタンスを相互接続するインターネットの存在が前提となるとともに、高性能で高機能のインタ

ーネット基盤をすべての都市・街に整備しなければならない。さらにこれは、グローバルなThe Internetに接続され、自由で信頼可能なデジタルデータの自由な流通[*5]が実現されなければならない。

　インターネットは、有線と無線の両方を組み合わせてコンピューターを相互接続する。したがって、有線の敷設や必要な周波数の無線利用が公平・公正に、かつ効率的に行うことができるようなルールの整備が、企業間のみならず行政においても行われなければならない。2000年に実施されたブロードバンドインターネット環境の整備を進める施策であるe-Japan構想においては、NTTの施設・設備の他事業者による利用の公平性・公正性の確認と徹底がその成功の大きなポイントとなった。このような観点から、2020年決定されたローカル5Gに対する4つのメジャー携帯網キャリア以外の事業者に対する周波数資源の開放は、無線によるブロードバンドインターネット環境の整備に貢献する可能性を持った施策の一つであると捉えることができよう。

　しかし、依然として、有線の敷設や必要な周波数の無線利用に関しては、道路や線路あるいは電力線に関して、様々な商慣習上の制約などが少なからず存在している。それは、企業だけではなく、自治体や省庁における許認可を含んでいるのが実状である。

2.2.4
戦略的データセンターネットワークの必要性

　グローバルなインターネット上には、地球上のすべての都市・街で稼働するサービスを稼働させるグローバルなデータセンターネットワークが形成されることになる。このデータセンターネットワークは、多様なサービスの要求を満足させる必要があり、地球上に一つあるいは少数のデータセンターがあれば実現可能というわけではない。特に、以下の要求を満足するようなデータセンターネットワークが構築されなければならない。

1）遅延特性

　データは光速以上の速度では転送することができない。日本国内では数十ミリ秒程度の遅延となる。しかし、米国や欧州などとの通信では、100ミリ秒から数百ミリ秒程度の遅延となってしまう。リアルタイム性（数十ミリ秒以下）を要求するサービスでは、国内のデータセンターにサーバを設置する必要が発生する。海外との通信においても、より小さな遅延を要求するサービス（特に金融証券関係の業界やゲーム業界）は、より遅延の小さなケーブル経路で接続されたデータセンターを選択するのが一般的である。

　さらに小さな、ミリ秒以下の遅延が要求されるアプリケーションに対しては、オンサイト（＝on premise）に設置されたサーバあるいは都市・街内に存在するデータセンターの利用が必須となる。

　すなわち、おおまかに、3階層のデータセンターネットワークが形成されることになる。Global-Scale、State-Scale[*6]、そしてLocal-Scaleの3階層である。

2）建設・運用コスト

　データセンターの建設と運用に必要な費用は小さくなく、長期視点に立ったコスト比較がその設置場所の選定において重要な要素の一つとなる。建屋（躯体）工事、通信ケーブル、電力ケーブルに関する初期費用と長期の固定費、さらに、人件費やデータセンター利用者の移動費等が挙げられる。十分な電力が利用可能であっても、十分な容量の通信ケーブルがなければデータセンターの候補地としては不適切となってしまう。あるいは、利用者の多い首都圏や大阪からの移動時間とコストが大きすぎるのはマイナスの要因となってしまう。このような観点から、建屋の建築コストや維持コストが大きくても、これまでわが国においては首都圏、特に東京都付近にデータセンターが集中していた。しかし、首都圏直下型地震への懸念や、土地と電力資源の問題から、関西地区でのデータセンター構築が進められている。

3）災害対応性

　災害の発生への対応のために、複数のデータセンターを地理的に分散させる必要がある。特に、地震や水害などの自然災害、電力システムおよび通信システム障害への対応のために、物理的かつ論理的に、複数のデータセンターが地理的に分散されなければならない。

4）プライバシー

　データセンターには企業や個人のデータが保存される。すなわち、個人情報が保存されることになる。個人情報が不適切にアクセス・利用されることがないよう、各国において、プライバシーの保護、個人情報の保護に関する法律やルールが作られている[7]。日本は、第2次世界大戦以前の国家権力による検閲の反省からも、通信の秘匿性の堅持が維持されている世界でも稀有な国となってきた。海外諸国においては「テロ対策」を名目にして、国家による強制的なデータの閲覧・検閲、さらにフィルタリングなどが可能となってきている[8]。グローバルな視点から、日本国内のデータセンターは、プライバシーデータなどの重要情報保護という観点において競争力を持っていると捉えることができよう。

クラウド化とエッジ・コンピューティングの融合

　2016年から政府および内閣府で議論されてきたSociety 5.0では、インターネットおよびクラウドシステムの存在と積極的な利用を前提としたCPSシステムの検討と議論が行われてきた。さらに、最初からエッジ・コンピューティングの重要性が意識され、明記されていた。特に、リアルタイム性と堅牢な稼働が要求される、工場をはじめとする多くの設備では、遠隔地のデータセンターで動作するクラウドでは、リスク管理とリアルタイム性の観点から不十分との認識が理由であった。すなわち、オンプレミスのシステムとオフプレミスのクラウドシステムのハイブリッド型のシステムである。当然ながら、オンプレミスのシステムでも、IoFを含む仮想マシンを用いたクラウドシステムの導入が推進されることになる。このようなシステムでは、汎用のデータベース

を用いたクラウドシステムではなく、導入されるビジネスドメインに適した高速・低遅延動作を実現するデータベースシステムが導入されることになる。さらに、オンプレミスのシステムにおいても、データベースを介したシステムでは、同様に遅延の問題とデータベースがシステム停止の原因になってしまう場合もあり、昔のキーワードで言えばM2M（Machine to Machine）あるいはP2P（Peer to Peer）での通信を用いたシステムの必要性が認識されつつある[*9]。Cisco社が提案していたフォグコンピューティングやMQTT（Message Queuing Telemetry Transport）に代表されるようなPublisher-Subscriptionシステムと捉えることができる。

　インターネットおよびIT産業は、これまで何度も「集中」と「分散」の振子を動かしてきた。完全な分散システムとして登場したワールドワイドウェブシステムは、商用サービスの登場によって集中へと進化した。ファイル共有・配信サービスも、P2Pシステムに代表される分散型システムがデータセンターに設置された大規模サービスサイトによる集中型システムへと進化し、その後、CDN（Contents Delivery Network）による分散システム化へと進化した。その後、すべてのサービスがGAFAMとBATが運用するグローバルなクラウドシステム基盤へと集約・集中されてきた。そして、今回、リアルタイム性と堅牢性を要求するIoTシステム（さらにIoFへの進化が進展している）のインターネットへの接続によって、グローバル規模での分散化へのうねりが発生してきているのではないだろうか。

エネルギーシステムにおける戦略性

　データセンターは、莫大な電力を継続的に利用する事業所であり、電力会社にとって重要需要家／重要顧客という位置付けになる。また、データセンターの運用費（固定費）に占める電力調達コストは非常に大きく、安価な調達が、その設置場所の選定にとって大きな要素の一つとなる。当然、継続的な安定運用は最重要課題の一つであり、複数系統の電力確保も設定場所の選定にとって重要な要素となる。

　以下の2つが、データセンターが必要とするエネルギーの出し入れである。端的に言えば、電力エネルギーを入力し、演算実施にともなう熱の除去（＝熱を建屋外に移動）を行っているのである。

　（1）サーバ設備への電力供給
　（2）サーバ設備が発生する熱の除去

　このようなエネルギーフローをどうやって低コストに実現するかが、データセンターの運用にとって重要なポイントとなる。

　データセンターの設置場所の選定にあたり、データセンターへの電力提供コストだけで考えるのではなく、発電システムと熱の移動システムを含むマルチステークホルダ型のエコシステムを構築することが挑戦・実現されつつある。大きく捉えれば、データセンター単独で捉えるのではなく、SDGsを念頭においた都市・街づくりの中

にデータセンターをはめ込む取り組みである。より具体的には、エネルギーと熱に関するネットワーク[10]にデータセンターを戦略的に組み込む取り組みである。

超大規模のデータセンターを必要とするハイパージャイアント（GAFAM, BAT）は、都市部へのデータセンターの設置が困難になってきたこともあって、郊外への設置を行うことになった。郊外への設置にあたり、安価な安定電源が確保可能な場所にデータセンターを設置することが重要な要素となる。SDGsに関する社会的な観点からは、大量の電力を消費し、さらに大量の熱を放出するデータセンターは、地球温暖化防止にとっては「ダークサイド」の事業者となってしまう。このような2つの観点から、ハイパージャイアントは再生可能エネルギーの利用を推進している。具体的には、水力発電、風力発電、さらに太陽光／熱発電である。特に、安定的に低コストの電力供給が可能な風力発電と水力発電の積極利用が進められている。また、AppleとAmazonは、リチウムイオン蓄電池や水素燃料電池を積極的に利用した太陽光／熱発電を積極的に利用している。

日本においては、今後、主に日本海沿岸に戦略的な洋上風力発電設備が整備される計画であり、多くの大規模太陽光発電プラントが存在しているとともに、水力発電所も多数存在している。さらに、重化学工業等のプラントにおいては、多くの自家発電設備が存在している。このような発電設備の近くにデータセンターを設置する選択肢は、上述したように米国のハイパージャイアント（GAFAM）では採用されており、中国においては国家電網（全国の送配電網を所有運用してる企業）とデータセンターが連携し、超高圧送電系統と大規模発電所と連携したデータセンターの設置が推進されている。需要と供給とのマッチングである。

次に、熱の除去（移動）に関しては、効率的なヒートシンクが存在すれば、熱の除去効率は向上することになる。寒冷な空気の利用（北海道石狩市のさくらインターネット）、あるいは積雪の利用（北海道美唄市）など、寒冷地にデータセンターを設置することで熱の除去効率の向上によるコスト削減を実現するのも一般的な方法である。これがGo Northの方向性である。データセンター内のサーバが生成した熱は、低温の熱という制限条件の下での熱利用のサイクルが考えられなければならない。

以下に、データセンターを含む「エコシステム」の事例を挙げる。

1）データセンターを核としたエネルギーエコキャンパス

データセンターは電力を消費するとともに、電力と熱の発生源でもある。いつも排熱が生じるので、その熱をエネルギーとして利用することも考えられよう。さらに蓄電能力や自家発電能力を持っているので、地震などの災害時でもサービスを継続するために十分な対策が取られている。このような機能を備えた施設は、いざとなれば避難所としての条件を満たせるだろう。

データセンターと同じように、電力を消費しながら電力と熱を生成する設備としては、ゴミ焼却設備が挙げられる。よく見られるように、そこではゴミの焼却に際して電力の発電を行うと同時に、排熱を用いて温水プールなどを運営している。さらに、ゴミ処理場は住民数に応じて地理的に分散しており、ゴミ収集の効率化の観点から、交通の便が良い場所に設置されている。また、電力を消費してエネルギーを生み出すという点では、上下水道処理設備がある。そこでは大量の電力を消費して水の処理が行われている。ただし、水を処理する過程で大量の水素（あるいはメタン）が発生するため、この次世代エネルギーの有力候補を比較的容易に生成できる。

これらの設備をうまくつなげて設置（コロケーション）できないのだろうか（**図2.2.1**）。そうすれば、電力（または水素）と熱のエコシステムを作ることができるはずである。しかも、これらは地理的に適当に分散していて、交通の便の良い場所にあり、災害時にも継続運転できるエネルギーが確保されていることが多くなっている。エネルギーの生成の際に発生した電力と熱は、様々な用途の施設にも供給可能である。例えば、災害時の避難所、その他にも植物工場、あるいは熱を大量に消費する施設である病院や介護施設などが挙げられる。

このように、エネルギーセキュリティ機能を持った施設が災害に対応する戦略的拠点となれば、地域におけるエコシステムの

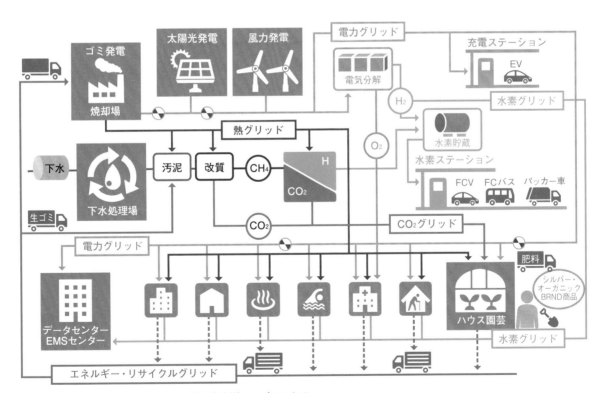

LOHAS＊ゼロエミッション＊エネルギー自立型コンパクトシティ
●非常時・自立して1週間暮らせる町　●高齢者が自然に接して生産活動できる街
●市民エネルギーと生活情報提供運営企業体創成

図2.2.1　ゼロエミッション・エネルギー自立型コンパクトシティ

機能も一層高まるのではないだろうか。このエコシステムでは、電力、熱、ガス、水素など、形態の異なるエネルギーが存在するので、これらを相互に転換する装置が備われば、非常に柔軟なエネルギー流通を実現できるはずである。**図2.2.1**に示したデータセンターやゴミ処理場、上下水道処理施設に加え、ショッピングモールと病院・高齢者施設が集まるのも魅力的かもしれない。若いファミリーは車でショッピングモールを訪れ、高齢者施設（あるいは病院）に入居している祖父母を訪問したあとに、ショッピングモールで買い物などを楽しむことができる。車は、駐車場で電力あるいは水素の充填を行うことができる（さらに後述するように、災害時には、逆に電力の供給源となる）。また、ショッピングモールは災害時に食料品と衣料品と駐車場を提供可能であり、2011年3月に発生した東日本大震災の時には避難所として機能したところも少なくない。加えて、災害時に避難することが容易ではない病人や高齢者の方々がすでにここに集合していることも、災害時の対応としては非常に好都合ではないだろうか。平常時のエコシステムが非常時にも機能するモデルである。さらに、次世代のクリーンエネルギーを利用した電気自動車・燃料電池自動車および多数の自動車が集結するショッピングモールの駐車場は、移動可能な大容量の動的な蓄電池としての利用可能性が考えられ、昼間のデマンドレスポンス（DR：Demand Response）あるいは余剰エネルギーの蓄積場所、さらに、電力会社の送電線以外でのエネルギーの新しい移動手段として、エネルギーの利用・管理・制御に利用することも可能であると考えられる。

これに近い実装としては、オランダ・アムステルダム市のAmsterdam ArenA（現Johan Cruijff ArenA）の事例が挙げられる[11]。大型のスポーツ競技場が交流高圧電力の一発受電設備となり、電気自動車の中古蓄電池パックを蓄電用設備として利用し、近隣への直流配電を行う運用形態である。競技場は非常時には避難所となり、蓄電池から電力の供給が可能である。一方、平常時は、系統電力システムの皺取り動作を上げDR動作で実現可能となるとともに、電力消費のピークシフトも可能となる。昼間は太陽光発電による余剰電力を蓄電池に蓄積し、夕方から夜に蓄電池の電力を近隣に配電することが可能となる。このような機能はデータセンターでも実現可能であり、データセンターの蓄電池容量の余裕あるいは増強によって、この機能をデータセンターの施設で実現することは理論上、不可能ではない。

2）データセンターによる省エネの実現

オフィスのコンピューターを物理的に、あるいはクラウド技術を使ってデータセンターに移設し、コロケーションすることで、多数のコンピューターを集約した運用を行い、大きな節電効果を実現することが可能である。仮に、オフィスのコンピューターをそのままデータセンターに移設するだけでも10～20%程度の節電が可能となるが、さらにクラウドコンピューティング技術を用いてサーバやデスクトップコンピュータ

ーを仮想化して移設すると、60〜70％、場合によっては80％以上の節電が実現可能である。

この推計は東京都にも認められ、2017年には、東京都環境局がデータセンター・クラウド技術の利用を推奨するとともに、環境条例をデータセンターに適用する際に一定の配慮を行うことになった。このデータセンター＋クラウドの利用は、節電・省エネの効果だけではなく、企業システムの危機管理の向上にも寄与する。データセンターは停電や地震が発生したときの対策をしっかりと行っており、企業のオフィスビルにコンピューターを置いて運用するよりも十分な備えを実現しているからである。

2011年に品川に移転した日本マイクロソフトの本社ビルは、節電だけではなくBCP（事業継続計画）や財務効果の向上も同時に得られることを証明した成功事例である。そこではインターネット技術を用いたオープンな施設の管理制御が導入され、それまで個別に稼働していたビル内の空調や照明などのサブシステムをサイバー空間で相互接続し、統合化したが、同時に、オフィス内にサーバコンピューター室を持たず、データセンターにおけるクラウド技術を用いたIT環境を実現した。これによって、節電・省エネが一気に進むとともに、ITシステムのBCPが向上した。さらに遠隔業務の環境が整ったことで、これまでになかった次のような事業活動が可能となった。

　a）災害時の事業継続
　　：東日本大震災の際には約85％の社員が在宅勤務を行った実績を持つ

　b）在宅勤務環境によって女性社員や身体に障がいを持った社員の活動を支援

さらに、データセンター＋クラウドの利用により、オフィスの運用に関するライフタイムコストの観点から財務面の改善も図られた。テナントビルを利用する会社にとって、入居時・入居中・移転時という各段階で次のようなメリットがあることが明らかになったのである。

　a）入居時：電力工事、床荷重対策、空調工事などを必要とするサーバ室を設置する必要がなくなり、工事費の負担が小さくなると同時に入居までの期間を短縮できる。

　b）入居中：大きな熱源であるサーバ室を設置する必要がなく、電力負荷および光熱費負担が小さくなる。

　c）移転時：サーバ室は原状回復のコストが非常に大きいが、その必要がなく、転居時の工事費の負担が小さくなり、結果的に、より良い条件のビルに移転するための財務面での障壁が低くなる。

3）ドイツの自動車会社によるアイスランドのデータセンター利用

アイスランドは、人口が約36万人（2020年）（新宿区と同じくらい）、GDPは約208億米ドル（2020年）（鳥取県と同じくらい）で、ほぼ100％再生可能エネルギーによる

電力供給が行われている。気候は極寒ではなく、一年を通して"クール"で、冬季は北海道よりも暖く（＝寒くない）、ほぼ冷房が必要ない状況で、外気空調（直接と間接の両方）のみでデータセンターを運用することができる。欧州本土からアイスランドへの通信遅延が30ミリ秒程度であることから、リアルタイム性が要求されず計算量や記憶量が要求される人工知能やビッグデータ処理などに注力することで、アイスランドの利点である長期に安定的な低電力価格と安価な地価、税制優遇を活用し、有利に事業を展開することが可能である。

近年の高密度で多量の電力を必要とする新しいアプリケーション開発事業にとって、こうした環境は魅力的である。

ドイツの自動車メーカーであるBMWでは、CAD／CAMを用いた自動車の設計・評価の際、リアルタイム性と従来のデータセンターのHigh Availabilityは要求されない。さらに、自動車は地球温暖化ガスの主要な発生源であるため、地球温暖化ガス削減に向けて大きな電気エネルギーを必要とする自動車の設計・評価をすべて再生可能エネルギーで賄うことで、企業イメージの向上につなげ、Multiple Payoff（三方良し）を実現させている。

アイスランドのもう一つの強みは、電力価格が長期間（10年や15年）変化しないという条件を提供可能な点である。ほとんどの国では、再生可能エネルギーの導入のために電力価格は非常に不安定にならざるを得ないが、これは企業経営における財務的観点からはリスク要素となる。長期間、安定して低価格で電力を利用できることは、財務的にも歓迎される要素になる。

4）デマンド調整力としてのデータセンター

データセンターで稼働する計算プロセスは、マイクロサービス化の高性能化にともない、高速（＝低遅延）での起動・停止・移動が可能となった。これは、数ミリ秒の単位で、データセンターで消費される電力量を制御可能となってきていることを意味する。非リアルタイム系の計算プロセスは、供給側の余剰量が小さくなった際に、供給側と連携したDR機能の提供が技術的かつシステム的に可能になりつつあると考えることができる。しかも、この制御可能な電力総量が大きく、さらに、広域での連携も可能になりつつあると捉えることができる。すなわち、大きな電力容量（ピーク電力KWと総電力量KWHの両面）の調整力設備と捉えることが可能となりつつある。

仮想マシン（VM：Virtual Machine）を基本基盤にした最新のクラウドベースデータセンター施設を電力の送配電システムとして見ると、それは、消費の増減機能を持つ大規模蓄電池施設と同等の施設であると捉えることができる。すなわち、データセンターによる大規模な電力調整力の実現である。

グローバル展開したデータセンター群は、地域の電力調整力だけではなく、広域での電力調整力も持った大規模電力調整力設備として、電力システムに統合の可能性を持ちつつあると考えることができよう。

まとめ

Society 5.0が目指す、すべての産業・システムのデジタル化とネットワーク化によるスマートシティの実現は、これまで基本的には個別に独立して運用されてきた施設・システムの相互接続と連携・協働運用が前提となる。すなわち、既存の垂直統合型のビジネス構造の創造的破壊であるビル・キャンパスに閉じたシステムで解法を見出さなければならないといった制約は、システムのデジタル化とネットワーク化によって払拭されることになる。さらに、物理空間に展開（＝Printed out）される物理デバイス（Things）は、グローバルなサイバー空間と接続され、必要な機能のアップデートが可能となることを前提に、システムの設計と構築・運用が可能となる。これがサイバーファーストの世界であり、今後のスマートビル・キャンパス、さらにスマートシティの姿となるであろう。

その中で、戦略的なデータセンターの利用とグローバルに展開するデータセンターネットワークの戦略的な構築を、グローバルとローカルの両視点から推進しなければならない。

▼ 注

*1 これを、我が国では、Society 5.0と呼んでいる。

*2 この現象は、The Internetシステムにおいて進展しているサーバ、スイッチ、ルータ、ユーザ端末におけるホワイトボックス（White Box）化に対応する。

*3 道路、線路、海、空は、すべて、輸送媒体の移動を実現する「航路」であり、「航路」はTCP/IPにおける物理レイヤ、「輸送媒体」はリンクレイヤに対応する。「荷物」はIPレイヤ（IPパケットがそのインスタンス）に対応することになる。

*4 Sustainable Development Goals（持続可能な開発目標）の略称で、以下の17目標とこれらを実現するための169のターゲット（具体目標）が提示されている。「収益と社会貢献・社会課題の解決は対立するものではなく、両立されるべきもの」との考え方である。(1)貧困をなくそう、(2)飢餓をゼロに、(3)すべての人に健康と福祉を、(4)質の高い教育をみんなに、(5)ジェンダー平等を実現しよう、(6)安全な水とトイレを世界中に、(7)エネルギーをみんなに そしてクリーンに、(8)働きがいも経済成長も、(9)産業と技術革新の基盤をつくろう、(10)人や国の不平等をなくそう、(11)住み続けられるまちづくりを、(12)つくる責任つかう責任、(13)気候変動に具体的な対策を、(14)海の豊かさを守ろう、(15)陸の豊かさも守ろう、(16)平和と公正をすべての人に、(17)パートナーシップで目標を達成しよう

*5 これを、DFFT（Data Free Flow with Trust）と呼んでいる。

*6 米国における州（state）、日本における道州（region）、あるいは日欧における国（national）の規模。

*7 「整備されている」とは敢えて書かなかった。法律やルールの整備の目的が大きな問題であるからである。

*8 日本のあるクラウドサービス企業では、海外のユーザーが、日本国内のデータセンターを利用したいとの依頼が少なからず存在していると聞いている。

*9 最近では、イベント・ドリブン・アーキテクチャ（EDA: Event Driven Architecture）などが提唱されている。

*10 一次元のサプライチェーン、デマンチェーンを超えた、2次元のネットワークを構成する。例えば、データセンターは、電力を消費するだけではなく蓄積した電力エネルギーを緊急時には外部に提供することも不可能ではない。

*11 https://global.nissannews.com/en/releases/europes-largest-energy-storage-system-now-live-at-the-johan-cruijff-arena

2.3 2040年のインターネットを支えるネットワーク

有田 大助　Daisuke Arita
アルテリア・ネットワークス 取締役専務執行役員CCO

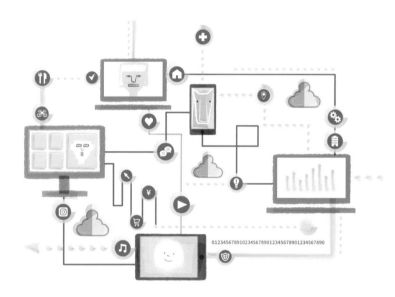

　北極海光海底ケーブルにより、欧州と日本を接続するGlobalな低遅延ネットワークの誕生と、そのゲートウェイとなる北海道データセンターのニュートピア化（第3章に詳述）にあたり、本節では、データセンターエリア発展のための新しいネットワーク構築の必要性について、ネットワークの中でも特に光ファイバーネットワークに焦点を当て、2040年など長期的な目線で述べる。

2.3.1
新たな光ファイバーネットワーク構築の重要性

　光ファイバーネットワークは、拠点と拠点をPoint to Pointで接続する通信インフラの重要な要素であり、近年の旺盛なデータ通信需要に応えるインフラの基礎になっている。

　光ファイバーを使った通信は、異なる波長の光を多数用いて光チャネル数を増大させる波長分割多重技術（WDM：Wavelength Division Multiplexing）により、同じ光ファイバー芯を使って伝送可能な容量帯域を拡大することができる。例えば、2010年のある陸上系伝送システムは、1システムで40波長、最大10GB／波長で約400GBであったが、最近の陸上系伝送システムでは96波長、伝送距離にもよるが、最大400G／波長で約40TBまで拡大している。400G／波長についても、

NTTコミュニケーションズ[*1]やアルテリア・ネットワークス[*2]による実運用の取り組み実績がある。

　主要なクラウドサービスプロバイダー（CSP）および様々なネットワーク予測レポート、例えばIDC（International Data Corporation）とCignal Ai[*3]によると、400Gイーサネットは2020年以降に主要なテクノロジーになると言及されており、100Gおよび200Gが普及した速度以上に急速に400Gへと置き換わるものと予測されている。光ファイバーを使った通信は今後も技術革新が進む。

　他方で、光ファイバーがPoint to Pointで接続される性格上、新たなデータセンター集積地などの需要地が展開されるにあたっては、今は存在しない光ファイバーを整備することが求められてくる。これに関しては第5世代移動通信システム（5G）においても、次世代の無線環境を導入する前提として光ファイバーネットワークが位置付けられており、Society 5.0を支える「ICTインフラ地域展開マスタープラン」[*4]の中でも、5G基地局向け、居住世帯向けの両方のインフラ基盤として、光ファイバー整備の必要性について言及されている。

　北海道におけるデータセンターのニュートピア化を考える上でも、候補となる土地に既存の光ファイバーネットワークがない、もしくは十分ではない場合、候補地に対しての新たな光ファイバーネットワークの構築が必要となってくる。データセンターの集積に成功したとしても、その本当の成否を決めるのはネットワークインフラの充実にかかっていると言っても過言ではない。

　新たな光ファイバーネットワークは、北海道内のネットワークだけでなく、現在の情報産業が東京一極集中であることを念頭に置くと、東京と北海道をどのように接続するのかが重要なポイントになる。また、今後の地方分散の動きを考慮すると、東京に限らず、名古屋、大阪、福岡など主要都市とのコネクティビティも同様に重要である。

　現在、北海道と本州は青函トンネルおよび複数の短距離光海底ケーブルシステムで接続されており（**図2.3.1**）、本州内陸路は東北の鉄道、道路脇の光ファイバーが中心であるが、設備の老朽化や管路の固定費の高さが課題になっている。以降、2.3.2および2.3.3において、新たな光ファイバーネットワークを構築する上で検討すべき項目と現状の課題について述べる。

2040年を見据えたネットワークへの要求

　光ファイバーネットワークの議論を深めるためには、インターネットの利用実態と将来像に目を向ける必要がある。また、オープンなネットワークとはいかなるものか、多様な接続性がもたらす価値や意義について考察する。

　インターネットは、ユーザーがストレスなく利用できるよう、ユーザーに近いキャッシュサーバにデータが置かれ、バックボー

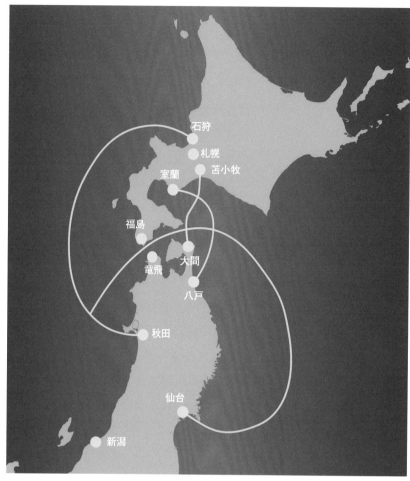

出典：グローバル・クラウドネットワークス研究会からの北海道・日本・世界への提言「戦略的光海底ケーブルによるグローバル経済イノベーション」図6.北海道と本州を結ぶ光海底ケーブル
作成日：2014年5月16日より転載

図2.3.1　北海道と本州を結ぶ光ファイバーネットワーク

ン側はそれらデータが最新となるべくレプリケーションを繰り返す運用がなされている。JストリームのInternet Week 2018における資料[5]でも、全インターネットトラフィックに占めるCDN: (Content Delivery Network)が配信するトラフィック量は80％以上と書かれている。サーバをメッシュ状に配置し、それらの常時バックアップ体制を整えるのが理想ではあるが、経済合理性に照らせば、需要の大きいユーザーが多い場所から順にキャッシュサーバを整備し、データセンターからレプリケーションを行うのが現実解であり、デー

タセンターと需要地をつなぐ回線が重要となることは今後も同様である。また、インターネットの接続は、圧倒的に東京に一極集中している。

　現在、ネットワークの最大の需要家は通信事業者からOTT（Over The Top）と呼ばれるコンテンツ供給事業者にシフトしている。OTTはコンテンツ資産の安定的な供給を行うため、光ファイバーネットワークに対しても経路や品質面で非常に厳しい要件を持っており、2040年のスタンダードを見据える上で参考の一助となる。

　求められる要件としては、まず、高い耐

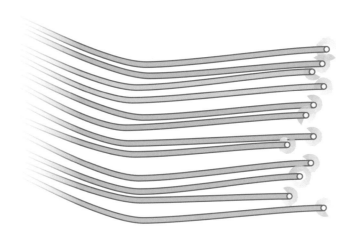

障害性である。これは様々なレイヤを通じ、光ファイバー経路の複数化、光ファイバー・伝送装置・ルータによる障害発生時の迂回等により実現される。また、接続対象に応じて、ネットワークトポロジー、メッシュ型構成、リング型構成等も考慮する必要がある。さらに、必要となる機器の削減に繋がる光ファイバーの高品質化も求められる。

完全に冗長化されたネットワーク

コンテンツは様々な障害にも耐え得るよう、光ファイバーネットワークにおいても強固な冗長性が必要となる。ルートは道路レベルでの開示が求められ、拠点までのルート、さらに、建物内部の配管での冗長まで求められる。また、ファイバールートの変更に対する冗長性が担保されているかの確認も徹底されている。

現状、北海道と本州は2.3.1で少し述べた通り、海峡で隔てられ、渡海する経路は限定的で、ボトルネックとなっているが、冗長性の面では日本列島を大きなリングでつなぐ構想など、大所高所からスケールの大きい経路設計が求められる。

ファイバーの規格・品質

陸上伝送装置の要求もあることから、光ファイバーの規格・品質にも考慮しなければならない。ファイバーの接続の仕方、融着点やコネクター接続箇所の数や、箇所毎の減衰値、反射減衰量に対して検討する必要がある。

このような厳しい条件に対して、現状の光ファイバーネットワークの多くは条件を開示できない、または、仕様として応えることができない。

光ファイバーネットワークは、敷設から20年程度経過しているものが多く、次世代の通信を担うためのアップグレードが必要となる。

2.3.3
新たな光ファイバーネットワーク構築の課題

新たに光ファイバーネットワークを構築する場合、陸路での構築、海路での構築の双方に課題があり、本項ではそれらの課題について述べる。

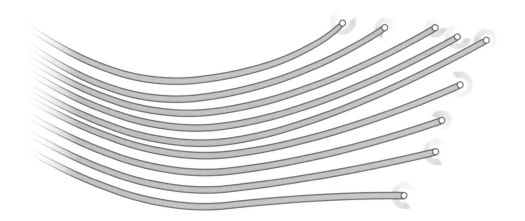

1）陸路で構築する場合の課題

　光ファイバーネットワークの構築に際しては、各通信事業者が手続きや実作業の中で、電線インフラ、管路、橋梁、道路、自治体等行政との調整や占用許可等の申請にかかる煩雑さがあり、煩雑かつ困難な調整を強いられているのが現状である。

　各通信事業者が陸路で光ファイバーネットワークを構築する場合、まずルートを机上で設計することになるが、光ファイバーを敷設するにあたり、管路を新設するか、すでにある管路等を利用する方法がある。

　新たに管路を敷設するためには推進工事等の管路敷設工事が必要となる。工事費は莫大となるため、全てを新設することは現実的ではない。

　他方で、既にある管路等を利用する場合は、当該管路等を保有する地権者（RoW：Right of Way）の洗い出しと調査を行い、RoWから管路等の利用の許可を得ることになる。

　光ファイバーネットワークを新規に敷設するにあたっては、道路、河川、土地などの占有許可を自治体等行政からあわせて取得する必要がある。自治体等の組織は縦割

りになっており、複数の行政機関との煩雑な調整をこなさなければならない点も光ファイバーの新設整備を難しくしている。例えば、橋梁の管路を使った河川占用許可の場合、河川の対地毎に別の自治体等行政に対して占用許可の申請作業が必要になる。

　他方、煩雑な調整に加え、管路等の区間によってはコストが高額であり、その利用権を誰しもが利用できないなどの課題もある。管路等の中で、橋梁やトンネルなど管路等が希少になっている区間においては、その使用料が非常に高額になることがあり、光ファイバーネットワークの新設整備の大きな障壁となっている。利用権の閉鎖性の例としては、歴史的背景から特定の通信事業者のみが光ファイバーネットワークのルートとして確保している場合がある。これらの管路はオープンになっておらず、新規参入を阻んでいる。

2）海路で構築する場合の課題

　現状、海底ケーブルのCLS接続も、限られたオーナーによる寡占が続き、競争原

理が働きにくい。例えば、海底ケーブルの陸揚げパートナー（Landing Partner）である各社は、他キャリアの光ファイバーケーブルの陸揚げ局への入線や海底ケーブルシステムとの接続を厳しく制限しており、陸揚パートナーのみが陸側のバックホール回線もセットで提供する形となっている。

上記の結果、日本の陸揚げ局のコネクティビティは非常に制約的となっている。そのため、利用者に不利益を強いているケースもある。例えば、陸側のバックホール回線のオプションが限られ、競争原理が進まない高額な回線を購入することになっている。または、接続調整に時間がかかった結果、納期が長くなる。

また、メガキャリアが保有する既存の陸揚げ局は、千葉県の千倉／丸山、三重県の志摩などに集約しており、太平洋や南シナ海を渡るケーブルの中継地となり、数多くのケーブル陸揚げ局を抱え、東と南に開いたアジアの玄関の役割を果たしてきた。震災リスクがある中で接続ポイントは不変である状況を打開するため、冗長性の観点から新たな陸揚点による海路の開発が求められる。

2.3.4
2040年の光ファイバーネットワーク構築に向けた提言

本項ではこれまで述べてきたことを踏まえて、2040年を見据えた光ファイバーネットワークの構築に向けた提言を行いたい。

特に北海道の地理的特性に求められる価値とは、下記の諸要件に高次元で応えることと考える。

低遅延：

北極海ケーブルによりもたらされた低遅延を、国内バックホール区間においても追求する日欧の主要取引所を結ぶ、超低遅延回線を実現する。これにより、閉域網だけでなくインターネットでも遅延の改善が見込まれる。5Gに関連する分野、例えば映像、音声通信、ゲームなど幅広い分野で歓迎されるだろう。

冗長性：

2.3.2で述べた通り、情報通信の分野において恒常性や信頼性の確保は必須である。現状、北海道と本州は海峡で隔てられ、渡海する経路は限定的で、ボトルネックとなっている。日本列島を大きなリングでつなぐ構想など、大所高所からスケールの大きい経路設計が求められる。

安定性：

日本は地理的な特徴から、太平洋や南シナ海を渡るケーブルの中継地となり、数多くのケーブル陸揚げ局を抱え、東と南に開いたアジアの玄関の役割を果たしてきた。

北極海ケーブルと北海道エリアの発展で、新たに北に大きく開いた門戸を持つことになる。複数のゲートウェイを国内に分散して持つこと、それぞれが役割を分担することで、自然災害をはじめとする多様なリスクに備えることができるのではないか。

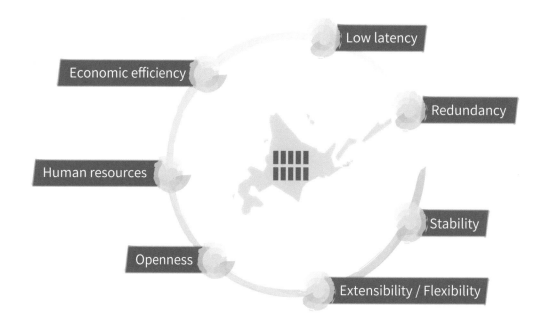

Economic efficiency
Low latency
Redundancy
Human resources
Stability
Openness
Extensibility / Flexibility

拡張性・柔軟性：

　通信の世界は日進月歩、規格や主要商材の容量規模などが目まぐるしく変化していく。データセンターや通信事業者も、進化や変化のスピードについていくだけではなく、事前に予測し、先手を打つことが求められる。北海道の地を拡張性のメリットにできるかどうかは、変化に対して柔軟性を発揮できるかにかかっている。

経済性：

　航空業界におけるハブ空港と同様、情報産業の一大集積地のポジションは、他国も含め、数多くの様々な都市が狙いを定め、国際的な競争が激化している。OTTをはじめとする大規模需要家に選ばれる地となるためには、高品質なインフラ整備と同時に経済性を高めることが必要である。

　現状では、日本で国内通信回線にかかるコストは主要諸外国と比較しても割高である。理由は、先述したこととも重なるが、

① 通信回線敷設や利用に関し、様々な規制があること

② 回線の敷設やメンテナンスでは道路や架空、橋梁など公共財を利用することが多いため、自治体やインフラ事業者からの規制や煩雑な折衝に注力し、対応しなければならない場面が少なくないこと

③ 大規模ネットワーク敷設を行える通信事業者が寡占状態にあり、競争原理が働きづらいこと

などが挙げられる。

　これらの結果、主要経路の回線提供でも極めて長い納期を要することがあり、高コスト、長納期は日本の通信回線の代名詞となっている。

人材：

　通信分野においては、運用の信頼性は最も大きい指標の一つとなっている。日本の通信事業者各社のネットワークオペレーションは非常に高度で、エンジニアスキルも世界でトップレベルにある。現場の作業員も高い技術力を誇っているが、言語面などがバリアになるケースがある。

　北海道の地においても、熟練技術者の集積、養成や、定着、言語能力を含む、さらなるスキルアップを行える環境を作ることが重要ではないか。

オープン性：

　陸揚げ局に求められる姿としては、競争原理が働く、オープンな陸揚げ局を展開すべきである。アルテリア・ネットワークスの都内のComSpaceおよび丸山に位置する陸揚げ局ゲートウェイは、国内ではいち早くオープンなアクセスポリシーを打ち出し、キャリアフリーの拠点として高い評価

と数多くのユーザーの獲得に成功してきた。海外でもオープンポリシーを導入している陸揚げ局は数多く存在している。

　近年では、陸揚げ局自身をデータセンターとして整備する動きが出てくるなど、既存の固定観念にとらわれない利用方法が見られる。従来にはない新しい発想でネットワークを整備したり、設備の活用方法を工夫することで、陸や海、地中・架空におけるネットワークの効率的な構築、冗長化による強靭化、通信基盤の有効な分散化など、直面する課題に対処することができるだろう。

　北海道は、広い大地と同様、大きな可能性をその内に秘めている。十分に引き出すためには、特区を設置し、様々な規制から解放された環境を用意することや、高品質で経済性が高く、透明性の高い通信をはじめとするインフラを整備すること、技術者を含め、人が集いたくなる魅力的な場所となることが重要ではないか。

▼ 注

*1 https://www.ntt.com/about-us/press-releases/news/article/2019/1209.html
*2 https://www.arteria-net.com/news/2020/0330-01/
*3 https://cignal.ai/2018/04/cignal-ai-increases-100g-forecast-citing-flexibility-of-technology-and-expanding-applications/
*4 総務省 総合通信基盤局「第5世代移動通信システム（5G）の今と将来展望」
　　https://www.soumu.go.jp/main_content/000633132.pdf
*5 https://www.nic.ad.jp/ja/materials/iw/2018/proceedings/s08/s8-sato.pdf

第 3 章

2040年：北海道は
データセンターの
ユートピアに

3.1 北海道と国際光海底ケーブル

柳川 直隆 Naotaka Yanagawa
フラワーコミュニケーションズ 代表取締役 北海道産業集積アドバイザー

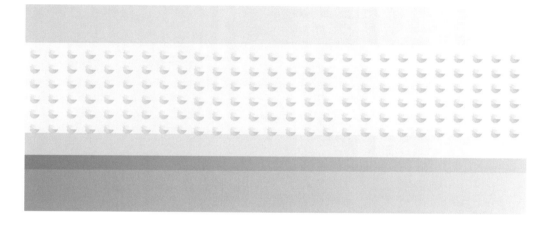

Speed of light

　本節では、「北海道に多くのデータセンター事業者を呼び込むためにどのような国際通信網が必要か?」という観点で、北海道を中心とする新たな国際光海底ケーブル網の必要性、そのルート、建設にかかる期間やコスト、建設の実現に向けた戦略について述べる。

　国内のデータセンター事業者のサーバーの90%近くが関東・近畿圏に集中している状況は変えていかなければならない。クラウドの普及により、データセンターはネットワークと一体化しながら発展している。

　北海道を中心に新たな国際通信網ができれば、北海道にもっとデータセンターができる。このことはつまり、国際通信網がな

けれdばデータセンターができない、ということである。

3.1.1
国際光海底ケーブルを取り巻く構造変化

　北海道には北米やアジアへ直接接続する国際光海底ケーブルがない。このことが、北海道でデータセンター事業が成長していない一つの要因である。

　日本の主要な対外接続先は北米であり、主に東京とアメリカ西海岸を接続している。主要な国際光海底ケーブルシステムは、Japan-US Cable Network、Pacific Crossing-1、Tata TGN-Pacific、New

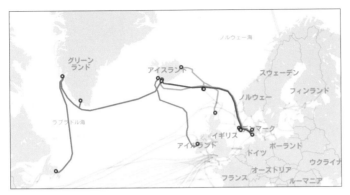

―――（紫の線）CANTAT-3
―――（黄緑の線 ※アイスランドの南からデンマークを結ぶ線）DANICE
―――（濃い緑の線 ※アイスランドの東側から、イギリスに行く線）FARICE-1
―――（オレンジの線）　Greenland Connect
―――（グレーの線）　IRIS（2023年予定）
出典：Copyright © 2022 TeleGeography
(https://www.submarinecablemap.com/country/iceland)

―――（緑の線）C-Lion1
出典：Copyright © 2022 TeleGeography
(https://www.submarinecablemap.com/submarine-cable/
c-lion1)

図3.1.1　アイスランド、フィンランドの国際海底ケーブル

Cross Pacific Cable System、Unity、FASTER、JUPITERの7システムである。現在、どのシステムも好調な稼働状況であり、印西（千葉県）を含む東京周辺のデータセンターのトラフィックを運んでいる。初期のシステムは、主に通信事業者の連合体で建設してきたが、最近では、GoogleやMetaなどOTT（Over The Top）が費用を負担して建設するシステムも出てきている。

　北米から日本に向かう国際光海底ケーブルシステムは、茨城、千葉にあるケーブル陸揚げ局でアジア各国に向かう国際光海底ケーブルシステムに接続し、アジア・日本・北米のトラフィックを支える一大国際光海底ケーブル網が形成された。アジアの中心は香港、シンガポールである。

　国際光海底ケーブルシステムは、人口が多く、非常に大きな経済規模の都市があり、インターネットユーザーが大量のトランザクションを行っている場所を接続する目的

で建設されてきた。北海道の札幌圏は230万人が住む一大経済圏だが、国際光海底ケーブルシステムの建設が必要なほどの経済規模ではなく、これまでその可能性がなかった。

　ところが、データセンターが大規模な電源を使うようになり、さらに地球温暖化防止の対策として再生可能エネルギーの利用が世界的な潮流となるなか、国際光海底ケーブルの建設理由も変化した。アイスランドは地熱・水力発電が多く、長期にわたって安定的なデータセンター向け電源を供給できることで、複数の新しい国際海底ケーブルが建設され、多くのデータセンターが事業を始めている。フィンランドも2016年に同国としては初めての国際光海底ケーブルをドイツまで建設し、多くのデータセンターが事業を開始した（**図3.1.1**）。一部の国際光海底ケーブルでは、その目的地やルートが地球環境に配慮して設計されている。

出典：Submarine Cable Map2021 (telegeography.com)

図3.1.2　グアム中心のネットワーク

出典：日経XTECH　2011年6月15日掲載
「インターネット"神話"の検証 (https://xtech.nikkei.com/it/article/COLUMN/
20110615/361405/)」

図3.1.3a　地震で被災した海底ケーブル

可能性が高まりつつある北海道の光海底ケーブル建設

　日本とアジア各国の国際海底ケーブルシステムも大きな構造変換期を迎えている。これまで、アジアのハブは香港とシンガポールであり、とりわけ香港は中国への玄関口として国際光海底ケーブルの一大集積地であった。ところが、昨今の国際情勢の変化で、グアムが北米とアジアを結ぶ国際光海底ケーブルの一大中継地へと成長している。ここ数年で、Tata TGN-Pacific、Australia-Japan Cable、Japan-Guam-Australia Northを通じて、東京からグアム経由でアジア行き、オーストラリア行き、北米行きの国際光海底ケーブルシステムを利用できる環境ができており、その傾向はますます強くなっている。グアムには巨大な経済圏も豊富なインターネットトラフィッ

クもないが、国際情勢の変化や情報セキュリティなど、これまでとは異なる理由で、国際光海底ケーブルシステムがグアムを経由地点として建設されている（**図3.1.2**）。

　日本国内の事情をみると、災害対策を考慮したIT基盤の再配置、全国均等なITインフラ整備、東京および周辺への過度な集中への対策、国際光海底ケーブルの特定エリアの集中回避が求められてきた。特に地震対策は急務で、2011年3月11日に発生した東日本大震災時の大規模な国際光海底ケーブル切断事故や、2022年1月に発生したトンガでの火山噴火にともなう通信障害など、自然災害への対策を意識した国際光海底ケーブルの建設の必要性が認識されてきている（**図3.1.3a,b**）。

　北海道にとって、国際的な対外接続点として優先順位が高いのがアメリカ西海岸、特に西海岸の北側ワシントン州やオレゴン

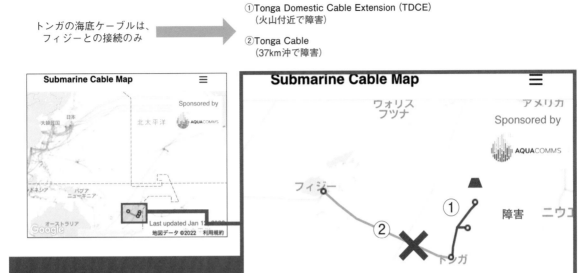

トンガの海底ケーブルは、
フィジーとの接続のみ

①Tonga Domestic Cable Extension（TDCE）
　（火山付近で障害）
②Tonga Cable
　（37km沖で障害）

通信正常化に
1カ月を要した

通信が断絶

Last updated Jan 12, 2022

出典：総務省データ通信課の資料をもとに作成

図3.1.3b　地震で被災した海底ケーブル

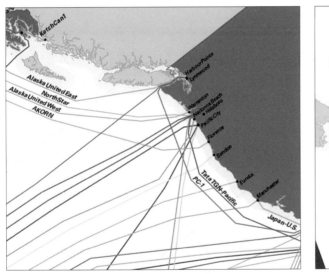

出典：Submarine Cable Map2021（telegeography.com）

図3.1.4　アメリカ西海岸陸揚げ候補地

州の海岸線やアラスカの海岸線である（**図3.1.4**）。

　日本にとって北米は最大市場であり、北米の事業者は日本と日本を経由してアジア各国へ事業展開しているため、太平洋間の国際光海底ケーブルシステムは旺盛な需要に支えられて今後も新規の国際光海底ケーブルシステムの建設が進む。北海道が北米の主要拠点と新規に光海底ケーブルシステムで結ばれれば、北海道は既存の国際光海

113

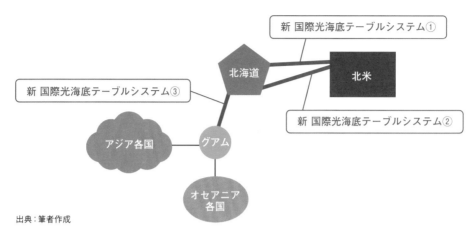

出典：筆者作成

図3.1.5　北海道における新 国際光海底ケーブルのルート案

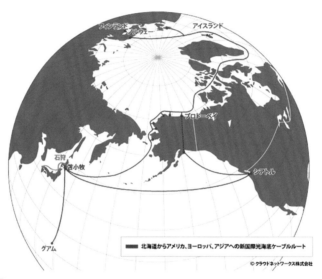

出典：クラウドネットワークス

図3.1.6　北海道における新 国際光海底ケーブルのルート案

底ケーブル網に参加できることになり、北海道の強みである再生可能エネルギーの提供や、大規模型データセンター建設への道が開ける。北米に対して2システムを持つことができれば、ケーブルカットなどの障害時にバックアップルートとして安定したサービスが提供可能となる。加えて、北海道からグアムに新たに国際光海底ケーブルを作ることで、新たな太平洋域内の新光海底ケーブル網の事業者の一員として参加す

ることができる（**図3.1.5、6**）。東京、大阪以外の国内拠点からグアムに新規に国際光海底ケーブルを建設することで、東京、大阪に依存しない、独立した北米とアジア市場へアクセスする国際光海底ケーブル網になる。

　光ファイバーはその名前が示す通り、石英ガラスやプラスチックなどの素材中に光信号を通すことで通信を行う。光は真空中であれば1秒で約30万km（地球を約7周

既存ケーブルとの比較（RTD（往復遅延量）比較）

以下に既存ケーブルと北海道から北米へのケーブル（北海道ケーブル）の遅延量の比較を示します。

北海道ケーブル
合計 →
- ○北米 - 北海道　7,685km　○苫小牧 - 石狩82km
- ◎北米 - 苫小牧 - 石狩（データセンター）：7,767km

RTD	76.1m sec

既存ケーブル
合計 →
- ○北米 - 阿字ヶ浦　8,000km　○阿字ヶ浦 - 東京130km
- ◎北米 - 阿字ヶ浦 - 東京（データセンター）：8,130km

RTD	79.7m sec

出典：2014年　グローバル・クラウドネットワークス研究会　提言書より作成
提供：富士通株式会社

図3.1.7　北米（米国シアトル）-苫小牧に分岐した場合の東京との伝送遅延の比較（ミリ秒）

半）の速さで直進することができるが、光ファイバー中では30％ほど減速する。光ファイバー上の通信において、2地点間の通信に要する時間をRTD（Round Trip Delay、往復遅延）で表すことが多く、これを一般に「遅延」と呼んでいる。遅延は単純にケーブルの距離に比例するもので1,000kmあたり9.8ミリ秒である。日米間を8,000kmとすれば、80ミリ秒弱の遅延が生じる。コンピューター間で双方向の連続したデータのやり取りでは、わずかな遅延の差が短時間でも蓄積されるため、1ミリ秒の遅延の違いが応答時間に大きな違い生み出す（**図3.1.7**）。

3.1.3
国際光海底ケーブルの建設コストと期間

北海道を起点に、北米、グアムに新光海底ケーブルシステムを建設する場合の期間と費用について確認したい。直近に建設された太平洋横断の国際光海底ケーブルシステム「JUPITER」は、2017年10月に計画がスタートし、2020年に運用を開始した。距離は14,000km（日本からフィリンピン間を含む）、建設期間は約30か月（2年半弱）である。「Jupiter」以前に建設された「FASTER」は、2014年8月に計画がスタートし、2016年6月から運用を開始した。「FASTER」の建設期間は24か月弱（2年弱）、距離は約9,000km、総工費は306億円程度と言われており、1km当たりの建設コストは350万円程度となる（当時の為替レートによる）。また、2010年に運用開始した「Unity」は、総延長距離約9,620kmで建設コストが300億円程度と言われている。日本と北米間の国際光海底ケーブル建設は、計画に約1年、建設に約2年、合わせて3年程度を期間として見込む必要がある。

いま、1システム当たりの建設費を320億円程度と見込み、北海道から北米に新たな光海底ケーブルシステムを建設する場合を考えてみよう。2023年に計画を開始すると、1システム目は2026年に運用開始

でき、2システム目を2026年から計画すれば、2029年から2030年に2システム目の運用が開始できる計算となる。2システムの総建設費は650億円程度を見込めばよい。2030年を目標に、北海道から北米につながる新たな国際光海底ケーブルシステムを2システム建設できれば、北海道に複数の大規模なデータセンターができる。さらに、北海道からグアムへ新たな国際光海底ケーブルができると、北海道のデータセンター市場が飛躍的に成長する。Metaは2021年3月29日（現地時間）、北米からグアムを経由し、インドネシア、シンガポールを接続する2本の新光海底ケーブルシステム「Echo」と「Bifrost」の計画を発表している。この2システムが実現すれば、太平洋全体のトラフィック容量を70％増加できると言われており、EchoにはGoogleも投資する予定である（**図3.1.8**）。それぞれ2023年から2024年にかけて運用を開始する見込みなので、グアムが日本・

北米・アジアのシステム接続の主要箇所になる。グアムから北海道までおよそ3000km程度なので、総工費はおそらく100億円から120億円程度（発表当時のレートにもとづいた建設費見込み、為替レートにより変動）、計画から運用まで3年と考えると、2024年ごろに計画を開始すれば、2027年から2028年には北海道とグアムが新光海底ケーブルシステムでつながり、北米・北海道・グアム（アジアへ）と新しい国際光海底ケーブル網ができあがる。

　北海道が、今後8年から10年の間に実現すべき目標を整理する。

北海道・北米間
新光海底ケーブルシステム1
：2026年運用開始

北海道・グアム間
新光海底ケーブルシステム
：2028年運用開始

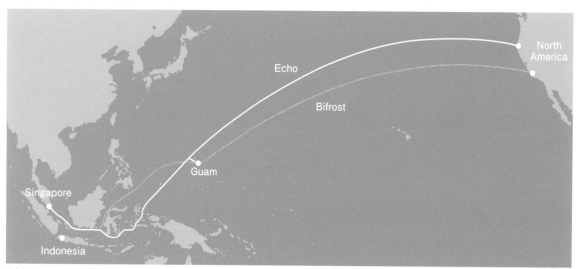

出典：IT media NEWS

図3.1.8　グアムとアジアの国際海底ケーブル網（予定）

現在と比べ伝送容量の小さいケーブルが複数稼働しており、
既存のケーブル本数にかかわらず新たなケーブル建設需要が見込まれる

カッコ内は建設完了時期（年）

	建設後20年程度経過	近年建設済み	現在建設中
北大西洋 18本	AC-1 (1998) ×2 Yellow (2000) FLAG-A (2001) ×2 EXA-North (2001) EXA-South (2001) TGN-A (2001) ×2 Apollo North (2003) Apollo South (2003) 計11本	EXA-Express (2015) AE-Connect (2016) Marea (2018) Havfrue (2020) Dunant (2021) 計5本	Grace Hopper (2022) Amitie (2022) 計2本
北太平洋 17本	PC-1 (1999) ×2 Japan-US (2001) ×2 TGN-P (2002) ×2 計6本	TPE (2008) AAG (2009) Unity (2010) Faster (2016) SEA-US (2017) NCP (2018) Jupiter (2020) PLCN (2020) 計8本	CAP-1 (2022) Echo (2023) Bifrost (2024) 計3本

出典：NECの資料をもとに作成

図3.1.9　北大西洋・北太平洋横断ケーブルの建設後年数

北海道・北米間
新光海底ケーブルシステム2
：2030〜2035年ごろ運用開始

概算総工事費（試算）：770億円程度
（当時の為替レートによる。為替レートや国際情勢に応じて工事費は大きく異なる）

　現行の日米間の国際光海底ケーブルシステムは、建設後20年以上が経過しているものが多く、最近のものでもすでに5年以上が経過している（**図3.1.9**）。光海底ケーブルシステムとしては旧式のシステムが多く、ファイバー芯数も少なく、中継器の機能も旧式である。昨年10月、NECが受注したMetaの新たな大西洋間光海底ケーブルシステムは48芯で構成されている。今後建設予定の新たなシステムには、全て新技術が投入され、伝送容量は飛躍的に向上

する。日米間の旧式のシステムの置き換え需要が発生するため、北海道と北米の間に新たに2つの新システムを建設すると、それらの需要も取り込むことができる。

　AI、IoT、5Gなど、新しいテクノロジーと広帯域のモバイルサービスの普及は、膨大なインターネットトラフィックとなり、世界中をめぐることになる。国際光海底ケーブルは、国際通信の99％近くを担う大動脈である。世界ですでに400以上のシステムが稼働し、その総延長距離は地球30周分を超えるほどである。

　今後、さらに国際光海底ケーブル網の重要性が増していくことは間違いない。北海道のデータセンター市場は、世界のデータ利用量の飛躍的増加に対応した国際光海底ケーブル建設とセットにして考えていくべきである。

北海道の対外接続環境の改善にはどのような進め方が考えられるかを整理する。従来、北海道で国際光海底ケーブルの建設事業を具体化することがとても難しかったことは先述の通りである。従来、国際光海底ケーブルの計画、建設、運営は、グローバルに通信サービスを提供する通信事業者の共同体によって行われてきた。

日米間の国際光海底ケーブル事業の事例でみると、日本のKDDIが、Bharti Airtel Limited（インド）、Global Transit（マレーシア）、Telstra（オーストラリア）、SingTel（シンガポール）といった世界規模で通信サービスを提供する各国事業に加え、OTTのGoogleと共同で「Unity」という国際光海底ケーブルシステムを建設・運用しているほか、China Mobile International（中国）、China Telecom Global（中国）、Global Transit（マレーシア）、Singtel（シンガポール）に加え、OTTのGoogleと共同で

「FASTER」という国際光海底ケーブルシステムを建設、運用している。

2017年10月27日、ソフトバンクはNTTコミュニケーションズとともに、PCCW Global（香港）、PLDT（フィリピン）、OTTのMeta、Amazonの6社共同によるグローバル企業コンソーシアムを構築し、新太平洋横断ケーブル「JUPITER」の共同建設協定を締結した。

国内の主な通信事業者が、自社の国際ネットワーク事業のインフラとして、北海道から北米につながる新たな国際光海底ケーブルシステムを建設することはないだろう。むしろ、北米やアジアで事業を行っているデータセンター事業者が、東京、大阪以外の拠点にデータセンターを構えるために新たな国際光海底ケーブルの建設を計画することが、より現実的である。具体的には、MicrosoftやGoogleなどのハイパースケール型のデータセンターを世界中に展開する事業者に対し、北海道へのハイパースケ

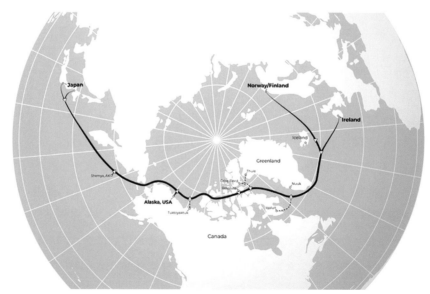

出典：Far North Digital LLC and Cinia Ltd.
図3.1.10　北海道とヨーロッパをつなぐ新 国際光海底ケーブル・ルート

ールのデータセンター建設と北米から北海道、北海道からグアムへの国際光海底ケーブルをセットで働きかけるほうが実現性は高い。ハイパースケールデータセンターは、光海底ケーブルのルート上に建設されるので、北米・北海道・グアムのルートができれば、東京や大阪以外に北海道にも大規模なデータセンターを建設していく。

北米・北海道・グアムの新ルートの価値向上には、北極海を経由してヨーロッパに接続する新たなルート開発が重要になる。北海道からヨーロッパ、北米が最短距離で接続され、北海道からグアムにルートがあれば、首都圏、関西を中心とした国際光海底ケーブル網に依存しない、新たなネットワークができあがる（**図3.1.10**）。

日本沿岸で国際光海底ケーブルを陸揚げする際には、陸揚げする地域の漁業協同組合との丁寧な意見交換や、陸揚げに係る漁業補償やケーブル切断時の工事に関する取り決めなど、地元漁協の合意と協力が必要になる。

北海道は水産業が盛んな地域が多く、陸揚げに適した場所を探す際に、漁業補償費用を含め、漁協との良好な関係構築が求められる。

北海道の主な陸揚げ候補エリアを下記に図示する（**図3.1.11**）。

有線電気通信法4条本文によれば、国際光海底ケーブルは、電気通信事業者以外は「設置してはならない。」とされており、陸

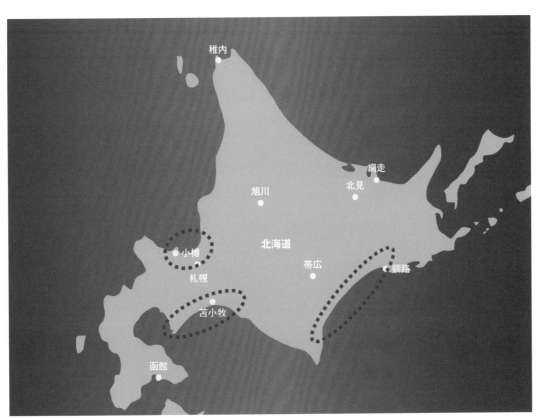

出典：筆者作成
図3.1.11　北海道の主な陸揚げ候補エリア

揚げ局を建設・運用する予定の事業者は、事前に総務省との協議・確認が必要である。

同条の要件を満たすためには、一定の電気通信事業者の地位にあることが事実上必須となっており、国際光海底ケーブルの陸揚げの際には、ほぼ例外なく、公有地・海域の占用許可申請が必要である。

占用の態様は多岐にわたり、実際に設計をしてみて初めて判明する許認可も多いの

が実情である。例示すると、沿海については、海岸法に基づく使用許可、漁港漁場整備法に基づく使用許可、国有財産法に基づく使用許可があるほか、各自治体の公共物条例に基づく許可もある。陸上部分についても、道路法、各条例等に基づく使用許可がある。こうしたことから、北海道沿岸での陸揚げに関しては、十分に時間をかけて計画する必要がある。

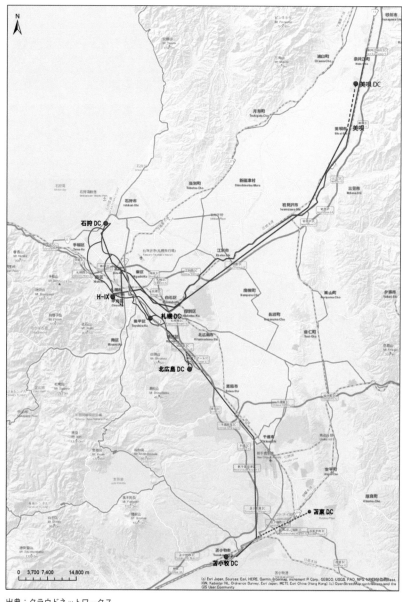

図3.1.12　北海道データセンターキャンパスネットワーク将来図（ファイバーベース）

出典：クラウドネットワークス

　北海道でのデータセンター事業には、北海道庁が運営する「北海道データセンター関連情報 統合ポータルサイト（https://hokkaidodatacenter.jp）」を活用することで、国際光海底ケーブルにつながるデータセンターの場所や道内の通信・電力事情が把握できる。

北海道におけるネットワークインフラの将来像

　国際光ケーブルを北海道に陸揚げする際の、道内ネットワークインフラの将来像について述べる。北海道のネットワークの中心は札幌であり、札幌が国際・国内インターネットの出入り口の役割を果たす。ただし、札幌はあくまでネットワークのHUB機能を有し、石狩に大規模なデータセンター集積エリアを用意し、この地の風力や太陽光の発電所からの電気を利用可能な「再エネデータセンターパーク」を建設する。石狩にはREゾーンがあるため、そのエリアを最大限活用し、面積25ヘクタール、800M程度の再エネ電気を供給し、ラック数十万規模を誇るアジア最大の「再エネデータセンターパーク」を計画する。石狩からは日本海経由で、東京、九州方面へ国内光海底ケーブルが今後敷設され、石狩ー秋田間は、160Tbpsの大規模・大容量ネットワークの利用が可能になる。また、苫小牧エリアは太平洋側に面し、将来、複数の国際光海底ケーブルの陸揚げ拠点となる。すでに室蘭エリアでは国内向けに光海底ケーブルの敷設実績があり、今後、苫小牧エリアが「国際ネットワークのゲートウェイ」機能を果

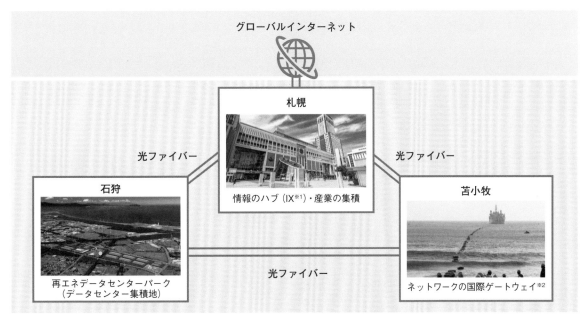

※1 IX：インターネットエクスチェンジの略、ISP（インターネットサービスプロバイダー）の相互接続ポイント
※2 国際ゲートウェイ：国際光海底ケーブルが複数陸揚げし、ケーブル陸揚げの専門通信施設（CLS）がある場所
出典：筆者作成

図3.1.13　札幌・石狩・苫小牧の役割

たす。

　一方、札幌・石狩・苫小牧の間は、複数の光ファイバーで各データセンター間を結ぶデータセンター間専用光ファイバーネットワーク「北海道データセンターキャンパスネットワーク」を建設する。さらに、札幌からは、美唄が展開する雪冷熱を利用したデータセンター群へのルートも建設する。

　利用する光ファイバーは、NTT東日本、北海道電力、JR北海道が所有する光ファイバー、国交省の情報BOXや下水管、地下鉄を利用し、新たに光ファイバーを敷設することも検討し、潤沢な数の光ファイバーで札幌・石狩・苫小牧の各データセンターを結ぶことを実現する。札幌市内は、キャリアフリーでサーバルーム内でも自由に構内接続できるデータセンターがNetwork Hub拠点の最有力候補となり、ほくでん情報テクノロジーが運営する札幌市内のデータセンター「H-IX」を中心に、「北海道データセンターキャンパスネットワーク」を設計・建設する。

　データセンターが光ファイバーを通じて一体的な関係性を持つことは、クラウドサービス基盤の利用はもちろん、北海道におけるデータセンター事業の発展にとって欠かせない条件となる。

3.2 集中から分散へ

古田 敬　Kei Furuta
デジタルエッジ・ジャパン 代表

Concentration ─────→ **Distributed**

　国内のデータセンター立地状況を見ると、首都圏および関西圏への集中が顕著である。こうした集中構造は、コストと効率性の面では優位性があるが、直近で発生した2022年3月16日の東北での地震後の東京周辺での停電、さらには3月22日の電力需給の逼迫など、これまでの日本においては想像できなかったインフラリスクの顕在化も含めて、集中─分散モデルの見直しの時期にあることは明白であろう。

　デジタル技術と環境の深化、再生エネルギーの活用、発電構造の脆弱性など、ネットワークおよびデータセンターを取り巻く環境や条件は大きく変化しており、集中構造を是正すべき要件が増している。

　本節では、ネットワークおよびデータセンターが、首都圏、関西圏以外への分散を含めた最適化を目指す資源配置について述べる。

データセンターはグローバルなデジタルインフラストラクチャーの一部

3.2.1a　データセンターを取り巻くグローバルな潮流

　データセンターを考える上で、地理的な条件は、国内に閉じた議論にされがちである。これは、国内 vs. 海外という図式や、データセンターのハードとしての性能、不動産的な価値や地域活性化というテーマに

つなぐことで、データセンターに関わる個別の議論への参加者を増やすことで盛り上げようという意志の反映なのかも知れない。この議論は過去数度行われ、その結果、若干の成功もあれば、残念ながら思い通りにならなかった事業者や自治体も多かったのではないだろうか。少なくとも、「グローバルに広がっている21世紀のデジタルインフラストラクチャーの一部としてどのように機能するべきか」という議論の方向には向かわなかったと感じられる。

　日本におけるデータセンターインフラの地理的な最適化、すなわち、集中―分散の議論を進めるために、まず、20世紀末時点と2022年現在のデジタルインフラストラクチャーを取り巻く環境の決定的な違いについて触れておきたい。

　単純化して言えば、デジタル化とはネットワーク化であり、そのネットワークとはインターネットである。正確にはインターネットが大きな部分を占めるネットワーク全てであり、5Gを含む継続的に提供される新技術は、物理層とトランスポート層を支える構成要素の一つでしかない。

　2000年に6.2EBであった世界のデータ量が、2020年時点で59ZBと1万倍に増えたこと（**図3.2.1**）から例えるまでもなく、デジタルインフラストラクチャーの最適化という議論を進めるにあたって、地域・都市、国内・海外という視点ではなく、リアルとヴァーチャル、もしくはリアルワールドとデジタルワールドの双方を俯瞰的に見た議論ができる状況が整いつつあるのではないか。

　現代はようやく主たるデジタル体験の利用者である人間の身の回りに、多くのコンピューティングを配置することで加速度的にデジタルワールドを広げていくことが可能になりつつある環境であり、偶然か必然かCOVID-19の流行がそれを加速した形になっている。

- インターネットが世界を覆いつくし、情報・コンピューティングが、国境を越えて流通するようになり、その拡大が続くであろうこと
- グローバルなクラウドおよびSNSなどを含むコンテンツプロバイダーがデジタルインフラストラクチャー、その中でもデータセンターへの大きな影響を及ぼすようになったこと
- 各種のデータセンターにデータトラフィックが集中していること
- グローバルなプレイヤーは、プラットフォーム構築から、Eyeballを追いかけ、Edgeへのアクセスの効率的な展開を目指していること
- 日本の位置付けは日本vs世界ではなく、世界の中の一つのリージョンであるアジアにおける有力国の一つに過ぎないこと
- 日本におけるテクノロジーの世界的な優位性が限定的であること
- 一方で、光ファイバー網を含む国内に閉じたインフラストラクチャーについては、外資規制などの自由化を含めて優位性が保たれていること
- 日本におけるデータセンターインフラにおいて、2000年以前に建設されたデータセンターの更改期を今後本格的に迎えること

人類はデジタル化に社会全体を適応させるために数世代必要だとすると、ようやくその入り口に入りつつあるのかも知れない。

3.2.1b データセンターを市場として読み解く

ここ数年のデータセンター市場の規模は、ハイパースケールDCと呼ばれるデータセンター市場の伸びが大きい。ハイパースケールDCには、数十MW超の超大型DCという意味合いと、Hyperscalerと呼ばれるグローバルなクラウドやコンテンツ企業（Amazon Web Service（AWS）、Microsoft、Google、IBM、Alibaba、Tencentなど）がホールセール的に数MW程度以上の外部調達、BTS（Build To Suit）として数十MWを1社にて利用する、さらには自社建設・保有するデマンドが含まれている。ハイパースケールDC市場は、今後とも規模的には大きな伸びが見込まれて

いるが、その利用形態は各社によって傾向が年々変化しており、一律であるとは言い難い。

同時に、Repatriation（企業によるクラウド利用からコロケーションによる自社資産保有への回帰）のトレンドも議論され始めており、世界において巨大化が続くITリソースの活用のされ方は常に変化している。クラウド、動画配信、決済を含む金融など、極めて多くのデジタルコンテンツにおいて、グローバルプレイヤーが、スケール、マネタイズモデル、高いバイイングパワーを持ちながら、市場を作り上げているのが現在のデータセンター市場の一つの側面であると言える。

同時に、グローバルプレイヤーのプレゼンスそのものよりも、データセンターの中で行われているデジタルトランザクション（コンピューティング、ストレージ、イン

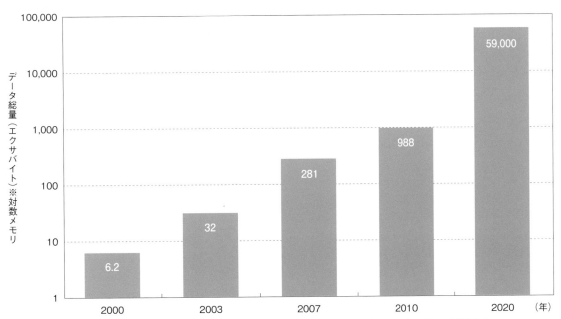

出典：IDC's Global DataSphere Forecast Shows Continued Steady Growth in the Creation and Consumption of Dataを基に作成

図3.2.1 データ総量（EB）の推移

ターコネクション）がどのようなものかを
認識すること、すなわちデジタルインフラ
ストラクチャーが、そのユーザー同士の相
互接続（Interconnection）で成立してい
ることを認識することが重要である。

　ビジネスやインフラの規模に惑わされ、
ついHyperscalerがすべてを牛耳っている
と単純化しがちになるが、実態としては、
HyperscalerはEyeballを追いかけて、その
相互接続を効率的に行える場所（Network
Edge）を追いかけていると言える。

　現在の巨大化したデジタル世界は、一つ
の事業者がEnd to Endですべてをカバー

するというスケールを大幅に超えており、
クラウド、ネットワーク、コンテンツ、エ
ンタープライズ等がデータセンターを中心
に相互接続をすることで、高いパフォーマ
ンス、冗長性、効率性を担保している。

　一昔前、グローバルプレイヤーは山奥の
発電所の近くに巨大なデータセンターを自
社で構築し、そこから世界に配信を行うと
言われていたが、現在ではEdgeと呼ばれ
るロケーションにプレゼンスを拡張し、相
互接続を行うことで、各々のデジタルエク
スペリエンスを支えるインフラをより強く
志向している。その意味においては、集中

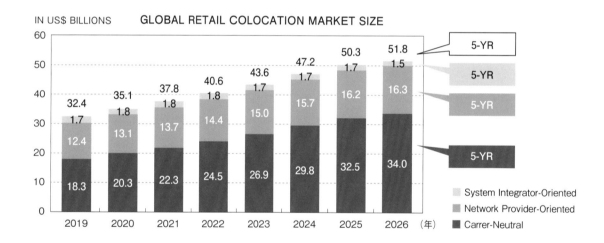

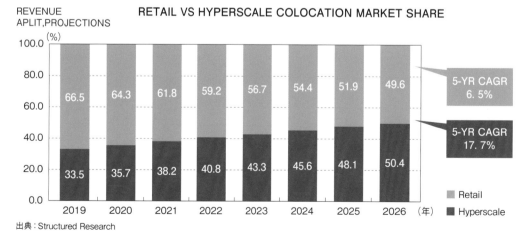

出典：Structured Research

図3.2.2　コロケーション市場の規模と内訳

から分散への流れがある。

デジタルインフラストラクチャー、データセンターと階層構造

3.2.2a　デジタルインフラストラクチャーの構成要素とトレンド

デジタルインフラストラクチャーを簡単に定義すると、デジタルエクスペリエンス全般をユーザーに届けるためのインフラストラクチャーの総称で、データセンターを含める場合には、主として物理インフラを中心に議論するほうが自然だろう。

有線および無線のアクセス通信網、IX・IP網などのインターネットインフラ、海底ケーブル・陸揚げ局・バックホール網、長距離伝送網、都市内の拠点間ダークファイバー、データセンター等はいずれも投資規模が大きく、特にデータセンターにおいては、ハイパースケールDCに代表されるように、1棟当たり数百億円規模の設備投資を継続的に投資する巨大な資本が必要となってきている。

この資金の提供元として現在注目されているのが、Infrastructure Fund（インフラファンド）と呼ばれるプライベートエクイティファンドの一種である。各々のファンドが数兆円単位の投資資金を、世界中で積極的にデジタルインフラストラクチャー市場への長期投資に振り向けている。

デジタルインフラストラクチャー全般にかかるビジネスとしての成熟度は、サービス、市場、事業者によって幅が広い。特にデータセンターは、性能の良いものを良い場所に作れば恒久的にビジネスとして成立

するとも言い切れず、継続的な市場の変化に合わせた技術と経営の努力が、世界のデータセンター市場の中での勝者と敗者を分けている。

社会基盤として社会・経済活動を支えるインフラストラクチャーは、安定性および継続性が重要であり、事業者に要求されるコミットメントとは、超長期にわたる継続的な保守、アップグレード、需要に応じた拡張を行うことで、ユーザー企業（最も重要な顧客はデジタルサービスを継続的に拡大している事業者）の継続的な事業支援が今後より重要になっていくだろう。

3.2.2b　グローバルクラウドのアーキテクチャーから見るDCの階層構造

一般的に、グローバルなクラウドは、グローバルにRegionを複数設定し、各Regionに複数のAvailability Zone（AZ）を持ち、それらがEdgeを介してユーザーにネットワーク経由で提供する（Network Edge Node、Edge Zone、CloudFrontなどと呼称。総称してEN）という構造になっている。

AZ、ENのそれぞれがデータセンター拠点となっているというグローバルな階層構造を持っており、その地理的なロケーションは、レイテンシーの許容度、ユーザーのボリューム、グローバルバックボーンへのアクセス、災害リスクの分散、拡張性などの観点に基づいて選択されており、結果として郊外型、都心型とに区分できる。

これは各市場において固有性があり、例えば北米においては、クラウドを含めた最大のトラフィックが集まる場所はAshburnというワシントンD.C.の郊外の地域で、

東京においては大手町など、関西圏においては堂島などになる。特にインターネットの相互接続点が集積した場所が最も効率良くEyeballにアクセスでき、ENにふさわしいと言える。

ENの機能を収容するデータセンターについては、Edge DC、Network Hub、Retail DCという表現も使われ、AZを収容するデータセンターをハイパースケールDC、ホールセールDCとも呼べるが、その定義は現実追従型でしかない。

5Gの登場に合わせ、MicrosoftはEdge Zone with Carrier、AWSはAWS Wavelengthと呼ぶ5G直結の低遅延サービスを発表しており、Edge DCをEyeballへの相互接続点として積極的に活用している。

このように、クラウドに限らず、ネットワークを介したデジタルサービスは、SNSであれ、動画配信であれ、ホスティングであれ、検索であれ、一定の階層構造を持っており、それぞれのサービスに適正化されたコンピューティングの配置をしている。

ここで注意すべきポイントは、Edgeというのは言わばCenterから見た相対的な定義であり、各事業者が比較的自由な定義で用いていることから、DCインフラにおいてEdge Computingと直結するのは誤りである。Edge Computingは、一般的には自動運転などのように、レイテンシーに対して非常に要求水準が高いアプリケーションにおいて高品質なデジタルエクスペリエンスを実現するためのコンピューティング側からのアプローチである。マイクロデータセンターという発想も、通常のEdge DCよりも一段とユーザーに近いところ、多くはアクセス無線の基地局にデータセンター機能を持たせるという発想のものだが、現状ではDCビジネスモデルとして確立したものとは言い難い。

今回の北海道ニュートピアデータセンタ

Edge Locations

Multiple Edge Locations

Regional Edge Caches

出典：AWS https://aws.amazon.com/jp/cloudfront/features/

図3.2.3　AWSのネットワーク接続とバックボーンの現状

ーにおける地理的な分散、集約の議論において、Edgeへの拡張をどう考えるかが一つのキーポイントになる。

3.2.3
日本のデータセンター市場を取り巻く環境とユニークさ

前項に記した通り、クラウド、デジタル

コンテンツを含むコンピューティングは階層構造に基づいたデータセンターに配置されている。

これを日本市場に当てはめて考えると、東京都心に多くのネットワークが集中し、Network Hubとなる「場」を介して相互に接続され、都市内WANでメッシュ化しているデータセンターの集合体がInterconnection Point（s）であり、郊外にレイテンシーをあ

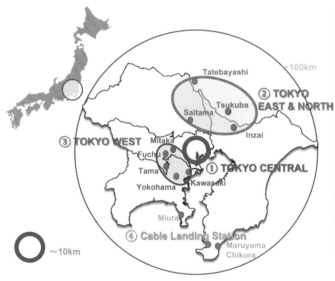

Considering the combination of natural disaster impacting Japan and the heavy concentration of economy and population in Tokyo, there is no single location perfect for sustainable operation. It naturally requires diversity in two key metros.

Source: Geospatial Information Office of Japan

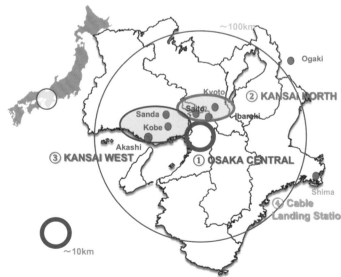

Osaka / Kansai market has geographic limitation of data center location due to smaller flat area and large flood zone. Political separation of Osaka, Hyogo (Kobe) and Kyoto add further complexity. CLS is limited to Shima in Chubu region.

Source: Geospatial Information Office of Japan

出典：国土地理院資料などからデジタル・インフラストラクチャー・コンサルティングにて再編

図3.2.4　首都圏と関西圏におけるデータセンター立地状況

る程度許容する大型データセンターがAZ、ハイパースケールDCの拠点となっている。この構造は関西圏でも同様で、大阪都心部にNetwork Hubが存在し、郊外にハイパースケールDC、ホールセールDCが存在している。

クラウドプロバイダーを外すと、郊外型データセンターは、これまでITサービス企業のマネージドサービスを含むデータセンターとして機能してきており、このニーズは、オンプレミス、ハイブリッドクラウドとしてのサポートを含めて同様の機能を引き継いでいくだろう。

よって、郊外型DCは、機能によってハイパースケールDC、ホールセールDC、マネージドサービスDCが混在する市場となっている。

日本では、グローバルクラウドを中心とした東京ハブとその郊外、大阪ハブとその郊外という2つの大きなハブが出来上がっている。米国、中国などと比べると非常に数が少ないと言えるが、国土の狭さと経済・人口の集中と合わせ、国際海底ケーブルネットワークへの接続点がこの2都市を中心に出来上がっているため、コンピューティングの供給、同時にデータセンターの需要をドライブするグローバルなクラウドプロバイダーがこの2極に集中したと考えられる。

東京・関東圏、大阪・関西圏の2極の市場規模は2019年で92％超（富士キメラ総研調べ。ホスティングなど含む）と、圧倒的なサイズとなっており、これら以外の市場におけるデータセンターの役割は、一部

単位：百万円、%

地域 \ 年次		2019（見込）	2020（予測）	2021（予測）	2022（予測）	2023（予測）	2024（予測）
関東 [注1]		1,658,900	1,822,320	1,994,010	2,153,250	2,293,800	2,435,550
	前年比	－	109.9	109.4	108.0	106.5	106.2
東京23区		528,000	558,000	598,000	628,000	638,500	650,000
	前年比	－	105.7	107.2	105.0	101.7	101.8
その他		1,130,900	1,264,320	1,396,010	1,525,250	1,655,300	1,785,550
	前年比	－	111.8	110.4	109.3	108.5	107.9
関西 [注2]		405,500	458,500	513,500	556,900	590,400	621,600
	前年比	－	113.1	112	108.5	106	105.3
大阪府		250,000	296,000	344,000	381,000	409,000	435,000
	前年比	－	118.4	116.2	110.8	107.3	106.4
その他		155,500	162,500	169,500	175,900	181,400	186,600
	前年比	－	104.5	104.3	103.8	103.1	102.9
その他		173,700	178,700	183,400	188,000	193,000	197,750
	前年比	－	102.9	102.6	102.5	102.7	102.5
合計		2,238,100	2,459,520	2,690,910	2,898,150	3,077,200	3,254,900
	前年比	－	109.9	109.4	107.7	106.2	105.8

注1：茨城、神奈川、群馬、埼玉、千葉、東京、栃木
注2：大阪、京都、滋賀、奈良、兵庫、和歌山
出典：富士キメラ総研「データセンタービジネス市場調査総覧 2020年版 市場編」

図3.2.5　国内における地域別DC市場規模予測

の例外を除き、主として地方自治体および地場企業向けITアウトソーシングサービスに限定されているものと考えられる。

これらの点を含めて、日本のデータセンター市場の特徴を幾つか並べる。

● データセンター市場としては世界3位の規模を持っているが、2019年で東京・関東圏で70％超、大阪・関西圏で20％弱と、GDPや人口分配と比べても極端な一極集中となっている。
● 経済規模や災害リスクの高さに対して、企業、政府を含めた冗長性、BCP（事業継続計画）としての考え方が浅い。
● アクセスインフラの充実と、東京・大阪のハブから各地域への配信はほぼ最適化されているが、各地方都市、国際陸揚げ局などから、高需要地である東京と大阪へのネットワークコストが相対的に高くなっている。
● 国際的に見ると、構築コストとネットワークコストが高いが、不動産コストはそれほどではない。電力コストは高止まりだが、自由化のメリットはある。
● データセンター専業事業者が限定的で、ITサービス企業と通信会社による兼業が多かったため、コア事業との整合性、継続的な大規模投資へのハードルが多い。

それぞれの特徴にはメリット、デメリットがあり、単純に是非を問うことは避けるべきだが、日本の国土のデジタルインフラストラクチャーが、今後のデジタルエクスペリエンスのクオリティ、安全性、発展のスピードの足かせにならないための最適化

を追求していくべきである。

3.2.4
日本におけるデータセンターの地理的な最適化と、集中―分散モデル

3.2.4.a　日本のデジタルインフラストラクチャーの改善余地

日本のデジタルインフラストラクチャーの継続的な発展を支えるために必要と思われる事柄をいくつか考えてみたい。

東京一極集中の解消という目標の聞こえはいいが、現状に至るには相応の背景があり、それらを正確に理解した上で初めて本当に意味のある対策が考えられる。

考えられる背景をいくつか挙げると、
● インターネット黎明期のインターネットエクスチェンジポイントが東京と大阪に配置された（NSPIXP-1/2/3、JPIX、他）
● インターネット初期のコンテンツが、主として首都圏、関西圏に立地する企業によって開発された
● バブル崩壊後、企業体力が衰えるなかで、経済の集中と並行して、企業がITのリソースをコストセンターとみなし、圧縮するとともに首都圏に集約した
● 2011年の東日本大震災まで電力インフラが全国的に非常に安定していたことも含めて、リスク分散の意識が全般的に低かった
● 人口の首都圏への集約と並行して、海底ケーブル通信容量およびグローバルなコンテンツクラウドが主たる需要地である

東京への進出を継続した

●最も多くのEyeballが存在している首都圏から地域までのネットワークコスト負担の非対称性が顕著

●グローバルクラウドから見た場合、北アジアの主要市場という位置付けにあり、日本、韓国を含めて地政学的に近い存在として見られる傾向が強まっている

一方で、現在の日本のデジタルインフラストラクチャーの改善余地を見直すと、以下の通りである。

●首都圏、関西圏への過剰な集中によるリスク

●地域系のデータセンターのスケールメリットの不足

●人口分布（Eyeball）とコンピューティングリソースのEdgeへの分布のアンバランス

●京阪神間以外の国内長距離ネットワークのコスト

●海底ケーブルの陸揚げ地とバックホールネットワークの選択肢とコスト

これらから言えることは、現状のクラウド、デジタルコンテンツを、PCやスマートフォンなどに配信するモデルとしては、現状のインフラにCDN/Cacheを組み合わせる範囲で一定の機能は満たしているが、将来的に自動運転や社会インフラ全般に関わり、低遅延、超高信頼性、超大規模なコンピューティングリソースが要求されるアプリケーションをサポートすることになった場合には、心許ないと言える。

過去の物理的インフラ整備での教訓を踏まえ、「何に使うのか？」という個別のニー

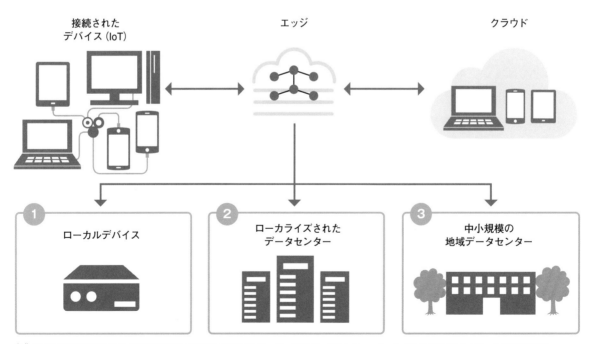

出典：Schneider Electric Data Center Science Center ／ホワイトペーパー226 エッジコンピューティングの代表モデルとメリットを参照に作成

図3.2.6　エッジコンピューティングの種類

ズに紐付けた、アクアラインのような一点突破型の対策も、日本の限られた国力を考えると現実的に感じられる。

3.2.4.b　集中─分散モデルの考察

　2022年3月16日の東北での地震後の東京周辺における停電、3月22日の電力需給の逼迫など、これまでの日本においては想像できなかった配電リスクが顕在化したことも含めて、集中─分散モデルの見直しの時期にあることは明白であろう。集中─分散にはサイクルがあり、その最適な方法については常に議論があるが、2022年時点での構造を見ると、目先の需要を追いかけた結果、部分集中、部分分散を繰り返しながら、複層的、マダラ模様で発達してきたものが、急激なHS目当ての投資プロジェクトが東京と大阪の郊外型データセンター市場を押し上げたと言える。そこに日本固有の問題として、ベースロード電源の弱体化をともないながら、再生可能エネルギーを推進せざるを得ないことや、50Hz/60Hz

問題での国内電力の融通フレキシビリティの不安定感が加わっていると言える。

　日本は地理的な特性に加え、高い自然災害リスクを抱えているにもかかわらず、バブル経済の後遺症とも言えるコストカット的効率性による集中投資、一方で地方創生の掛け声とは裏腹に、デジタルエコシステムの発展も東京一極集中に近い形で拡大してきたことの見直しの時期にあると言える。

　そのきっかけと、現状をまとめると以下のような点が挙げられる。

- デジタルリソースのリスク管理手法が、グローバルプレイヤーの投資トレンドにより、日本企業も必然的に変化させつつある
- ネットワークに加え、電力、特に再生エネルギーの所在によるロケーションの最適化というフィルターが加わっている
- 海外からの資金流入が急激に活発化しており、効率性を求めて、規模拡大の圧力が強くなりつつある
- COVID-19による社会の分散化のモメ

	RETAIL COLOCATION	HYPERSCALE COLOCATION	
	RETAIL	ENTERPRISE WHOLE SALE	HYPERSCALE
TYPICAL CAPACITY REQUIREMENTS	〈240kW	240kW－2MW	2MW－100MW+
INFRASTRUCTURE ENVIRONMENT	Shared	Dedicated	Dedicated
CUSTOMIZATION LEVEL	Low	Moderate	High
POWER BILLING MODEL	Flat Rate	Metered	Metered
CARRIER DENSITY	Moderate to High	Low to Moderate	Low to High
CONTRACT LENGTH	1-3Years	5-15Years	3-15Years

出典：Structured Research

図3.2.7　グローバルデータセンターの概要

ンタム
●世代の入れ替わりによる、東京偏重なエコシステムの見直しの機会

一方で、チャレンジとしては、
●不動産コスト以外の経済原則とレイテンシーは、集中にメリットがあることに変化はない
●国際ネットワークとの接続性のボトルネックを解消する必然性がある
●エコシステム創出と成長のイニシアティブを誰が持つか
●エネルギーとデジタルの規制の垣根を外し続ける努力の必要性

未来に向けて

全ての社会の基盤は、その直接的、間接的な享受を受ける人々の幸せ、成長、進化に貢献すべきものであると考える。

ローカルなものが否応なくグローバルなものの一部となっている現状のデジタルインフラストラクチャーにおいて、日本の国土の中での、企業、個人を含むデジタルエクスペリエンスの享受者への貢献とは何なのか。

人間という環境負荷が高い生物が必要としているデジタルインフラストラクチャーも、同様に環境負荷が高く、最適化というのはその点も含めた視野を構築すべきであろう。

21世紀の中盤までは、少なくともシリコンをベースとした半導体によるコンピューティング、すなわち、電気を大量に使い、それを大量に熱として放出するという構造は変わらないであろうことから、エネルギー資源、発電、配電、消費、デジタル信号への転換、インタラクティブなデジタル信号のやりとり（ダウンストリームとアップストリーム）、効率化を目指した分散というものをワンパッケージで考えていく必要があるだろう。

データセンターという存在は、それを物理的に集中させることによる効率性、結果として環境負荷低減をもたらすものであり、ネットワーク、クラウドという存在は、それを地理的に最適化し、局所的な環境負荷を低減できる可能性をもたらすものであると言える。

発電所の近隣にデジタル信号への転換点であるデータセンターを配置し、電力の分散された地産地消と、グリッドによる配電リスクの軽減など、500万人の人口規模である北海道における最適化モデルの模索と、それを1億人での最適化につなげるビジョンを日本が世界に示すことができたならば、それは21世紀から22世紀に向かう人類への貢献の一つと言えるようになるのではないだろうか。

3.3 北海道の再生可能エネルギー
SDGsの視点から見た北海道データセンターの優位性

村田 英司　Eiji Murata

王子エンジニアリング 代表取締役副社長 営業技術本部長

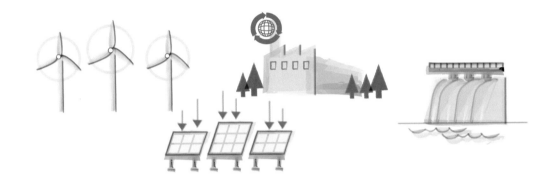

Renewable energy
in Hokkaido

　SDGs（持続可能な開発目標）の視点に立った行動が求められるなか、CO_2の削減や再生可能エネルギーの活用といった問題への対応は、とりわけ重要度が高い。

　こうした中、北海道は冷涼な気候条件を有するなど、再生可能なエネルギーの開発とその活用において優位性を持つ。

　本節では、SDGsの視点から、再生可能エネルギーを活用した北海道データセンター建設の意義について述べる。

3.3.1
データセンターとエネルギー問題

　北海道は広大な土地と気象条件に恵ま

れ、風力・太陽光など再生可能エネルギーの宝庫と言える。再生可能エネルギー発電の多くは、発電出力の変動が大きく、これを吸収するために蓄電池や揚水発電が使用されているが、調整能力には限界があり、加えて風力・太陽光発電の適地は偏在しており、送電線容量の問題がある。これらが再生可能エネルギー発電普及の足かせとなっている。また、それらの調整にエネルギーロスが発生しており、貴重な再生可能エネルギーが熱として失われているのが現実である。

　重厚長大産業、いわゆる大口需要家が最盛期の頃には、季節・昼夜等の需給調整を需要家も協力して実施していたが、産業構造の変化や発電設備構成の変化により、需

図3.3.1　北海道データセンターはSDGsの観点でも重要

給調整機能としての役割を果たすことができなくなっている。

　近年のスマートフォンやIoTの普及により、データセンターの需要が増えたことに加え、働き方の変化、特にコロナ禍におけるテレワークがデータセンター需要に拍車をかけている。

　日本においてデータセンターの立地が盛んなのは、人口密集地域である首都圏や大阪近郊であり、規模も大型化している。それにともない、通信線網も発達し、人口密集地域は、より便利で自由なライフスタイルが可能になっている。需要と供給のバランスという観点から考えると、データセンターの大都市圏集中は自然な流れと感じられる。

解決のカギは北海道にあり

　2020年10月、日本政府は2050年までにCO₂排出を実質ゼロにする目標を掲げた。これを達成するためには、再生可能エネルギーの普及と原子力発電所の再稼働が必要になる。

　首都圏近郊には電力需要に見合う発電設備が不足しており、とりわけ、再生可能エネルギーを調達するには首都圏から離れた地域からの供給に頼らざるを得ない状況である。例えば、北海道・東北で発電された再生可能エネルギー電力を、東京を中心とした首都圏に送電することとなる。

　結果として、北海道・東北にはまだ再生

可能エネルギー開発の余地はあるものの、送電線容量の問題から、再生可能エネルギー発電を送電線に接続できない状況となっている。もちろん、送電線を増容量することは可能であるが、電力コストの増加を招く要因となる。加えて、送電ロスが少なからず発生しており、貴重な再生可能エネルギーは、送電設備・変電設備から熱となり、大気中に放散されることになる。

一方、データ通信を考えると、ほとんどのデータは光ケーブルを経由して通信されるため、データセンターが遠隔地にあったとしてもエネルギーロスは非常に少なく、回線の増設に関しても、送電線に比べて非常に低いコストに抑えることができる。したがって、再生可能エネルギーのさらなる拡大、エネルギーロスの低減という観点から考えると、再生可能エネルギーの地産地消が望ましく、データセンターは首都圏に設置されるよりも、再生可能エネルギーが豊富な地域に設置されることが望ましいと言える。

加えて、北海道は冷涼な地域であり、データセンターの冷却に要するエネルギーを抑制できるとともに、冬季であればデータセンターの排熱を地域暖房として活用することさえ可能であり、地域で消費されている暖房エネルギーを抑制することも可能である。

冒頭でも述べたように、データセンターを首都圏に集中させることは、データの需要と供給の観点からは合理的に見えるが、データセンターの効率、送電ロス、送電線増強コスト等、データセンターが消費するエネルギーなどの観点からは非合理的と言わざるを得ない。

3.3.3
北海道データセンターはSDGsに適う

SDGsを考えるならば、データセンターを北海道等の冷涼な地域に設置し、そのエネルギー効率を高め、再生可能エネルギーの地産地消により、送電ロスを低減させることが重要である。それが結果として、さらなる再生可能エネルギーの拡大や地域の省エネルギーにも貢献することになる。これがまさに日本政府・各企業が目指すSDGsではなかろうか。

資源に限りのある日本において、再生可能エネルギーは非常に重要であり、その普及・拡大に国を挙げて努力しているなか、それをいかに有効に使用するかはエネルギー利用者に委ねられている。目で見ることができない電気・情報であるがゆえ、データセンター事業者もそれを可視化する努力が必要かもしれない。例えば、CO_2排出量を基準として、ホワイト、グレー、ブラックなど、クラウドを色分けすることにより、利用者の意識を高めるなどの工夫は有効であろう。

これまで述べてきたように、SDGsの観点から、北海道データセンターは非常に重要であり、今後の日本の企業活動に大きな影響を与えるものと考えられる。また、これまでとは異なる新しいライフスタイル、ニューノーマルを後押しし、働き方の多様化に

も大きな影響を与えるものと考えられる。

　より環境と人にやさしい社会に向け、データセンター事業者と利用者の双方が、何が合理的であるのかを考え直す時期に来ていると思われる。

図3.3.2　100年以上稼働中の水力発電所

HOKKAIDO
DATA CENTER

経済産業省と意見交換を実施した地方公共団体のデータセンター立地候補地

（出所：経済産業省https://www.meti.go.jp/press/2022/04/20220412003/20220412003.html、
https://www.meti.go.jp/press/2022/04/20220412003/20220412003-1.pdf）

	地方公共団体名	立地候補地	規模	電力インフラ整備状況	通信インフラ整備状況	交通アクセス
1	北海道旭川市	旭川市内動物園通り産業団地	約11ha	特別高圧2系統引込可 ・66kv変電所から約5km ・石狩幹線110kvから約1.7km	光ファイバー最大100Gbps対応可	JR旭川駅より車20分 旭川空港より車15分
2	北海道旭川市	旭川リサーチパーク	約1.2ha	原則、高圧引込。2系統引き込みは調査中	光ファイバー最大100Gbps対応可	JR旭川駅より車20分 旭川空港より車15分
3	北海道石狩市	石狩湾新港地域	約25.3ha	特別高圧：6.6kVは約2年で提供可能	通信サービス：NTT東、NTTコム、KDDI、ソフトバンク、HOTNet	JR手稲駅より車20分 新千歳空港より車1時間
4	北海道釧路市	釧路市内日本製紙㈱釧路工場跡地	約10ha	調査中（敷地内に石炭火力発電施設稼働中。）	調査中	釧路西ICから10分 釧路駅から車11分 たんちょう釧路空港から25分
5	北海道釧路市	釧路市内釧路益浦軽工業団地	約1.4ha	桜ヶ岡変電所（20,000kVA）まで2km、高圧線6.6kV	光方式	釧路東ICから15分 釧路駅から車15分 たんちょう釧路空港から40分
6	北海道釧路市	釧路市阿寒町内布伏内（ふぶしない）工業団地	約1.5ha	舌辛変電所（6,000kVA）まで10km、高圧線6.6kV、特別高圧線66kV	SDN※令和4年7月、光回線開設予定。	阿寒ICから15分 大楽毛駅から車30分 たんちょう釧路空港から20分
7	北海道苫小牧市	苫東地域	約10〜15ha	66kV変電所から約2km 66kV、187kV送電線と近接 詳細は要相談	NTT東日本、HotNetのサービス提供 エリア詳細は要相談	新千歳空港より車で20分
8	青森県	むつ小川原開発地区（青森県上北郡六ヶ所村）	25ha	特別高圧： ・2系統引込可 ・154kv六ヶ所変電所から1.5km ・近年の引込交渉事例 20MW、期間3年 高圧： ・6.6kv配電線地区内各所にあり ・近年の引込交渉事例 ①1MW、期間3ヶ月 ②2MW、期間3ヶ月	弥栄平交換局まで光ケーブル敷設済 近隣事例：・A事業者 光ファイバー最大10Gbpsで運用中（供給可能） 近年の引込交渉事例： ①Sinet 40Gbps ②インターネット 2Gbps ③国際専用線 1Gbps	下北半島縦貫道路 六ヶ所ICより車で8分 新幹線七戸十和田駅より車で50分 三沢空港より車で50分
9	岩手県岩泉町	町有地	約11ha	調査中	調査中	三陸沿岸道路 岩泉龍泉洞インターより4キロ、車5分
10	岩手県釜石市	平田工業適地（民有地）	13.5ha（最大38.8ha※利用中土地含む）	調査中	光ファイバー	東北横断自動車道 釜石秋田線釜石中央ICから7km JR釜石線釜石駅から3.5km
11	岩手県軽米町	軽米町内 民有地	約20ha	特別高圧66,000V（軽米変電所まで2.5km）	光ファイバー軽米町内各戸に配線（最大1Gbps対応可）	金田一温泉駅より車で30分 軽米インターより車3分
12	岩手県久慈市	久慈地区拠点工業団地	1.3ha	特別高圧60KVまで0.8km	光ファイバー最大1Gbps対応可	久慈駅より3.5km 三陸沿岸道路久慈ICより3km 東北新幹線二戸駅・八戸駅より54km 三沢空港より80km 久慈港より2km
13	岩手県久慈市	久慈市内 市有地	31.9ha	調査中	光ファイバー最大1Gbps対応可	久慈駅より11km 三陸沿岸道路侍浜南ICより約3km 東北新幹線二戸駅より約60km、八戸駅より55km 三沢空港より約76km 久慈港より約12km
14	岩手県八幡平市	鬼清水工場適地	6.8ha	普通高圧6.0kV	現段階でADSL47Mbpsのエリアではあるが、近隣まで1Gbps光回線サービス提供済み。専用線、ベストエフォート型光回線、ギャランティ型専用線2系統の提供については通信事業者との協議が必要。	東北自動車道松尾八幡平ICより100m JR花輪線松尾八幡平駅より4.1km 東北新幹線盛岡駅より36km
15	宮城県栗原市	築館工業団地	約32.3ha	特別高圧66,000V引込可。（最寄変電所から約2.8km）	調査中	JRくりこま高原駅から車10分 築館インターより車3分
16	宮城県富谷市	成田二期北工業用地	約134.5ha	最寄変電所／東北電力成田変電所（約1.5km）	―	鉄道／東北新幹線仙台駅 13km25分 道路／東北縦貫自動車道泉IC 5km7分 空路／仙台空港 28km40分 港湾／仙台港 20km30分
17	宮城県名取市	名取市内 愛島西部工業団地（第2期）	約26.3ha	特別高圧2系統引込可。 ①既設66kV送電線から分岐し、架空送電線（3.80km）を新設。工期は約52か月。 ②既設154kV送電線から分岐し、架空送電線（2.08km）を新設。工期は約48か月。	未整備	道路：東北縦貫自動車道仙台南ICより18分、仙台東部道路仙台空港ICより10分 鉄道：JR館腰駅より10分、JR仙台駅より30分 航空：仙台空港から15分

	地方公共団体名	立地候補地	規模	電力インフラ整備状況	通信インフラ整備状況	交通アクセス
18	秋田県秋田市	秋田市下新城地区（下新城地区工業団地整備予定地）	約20ha	調査中	調査中	秋田市より10km 追分駅より2km 秋田空港より30Km 秋田自動車道秋田北ICより6Km 秋田港より2Km
19		秋田市河辺戸島地区（七曲臨空港工業団地）	約10ha	高圧（6.6kV）は中心部まで配電線有り 特別高圧（66KV）は4km先から送電線により引き込み	調査中	秋田市より15km 和田駅より3km 秋田空港より7km 秋田自動車道秋田南ICより2km 秋田港より18km
20	秋田県男鹿市	男鹿市北浦相川市有地	約26.4ha	○高圧・6.6kV。 ○変電所（男鹿配電塔）：電圧1次33kV、2次6.6kV・変電所からの距離は確認中 ○送電線（332H）：33kV・設備容量20MW	光ファイバー最大1Gbps対応可。最寄りの敷設エリアから1km延長して敷設が必要。	・昭和男鹿半島ICから車で35分 ・JR男鹿駅から車で15分。秋田駅~男鹿駅55分。） ・秋田空港から車で70分
21		男鹿市船川港船川民有地①~④	0.4ha~1.2ha	○高圧・33kV、6.6kV ○変電所（船川）：電圧1次66kV・2次33kV及び6.6kV・変電所からの距離は確認中 ○送電線（332B）：66kV・設備容量86MW	光ファイバー最大1Gbps対応可。	・昭和男鹿半島ICから車で30分 ・JR男鹿駅から車で3分。秋田駅~男鹿駅55分。） ・秋田空港から車で60分
22		男鹿市船越字内子民有地	1.7ha	○高圧・6.6kV ○変電所（船越）：電圧1次66kV・2次6.6kV・変電所からの距離は確認中 ○送電線（332B）：66kV・設備容量72MW	光ファイバー最大1Gbps対応可。	・昭和男鹿半島ICから車で18分 ・JR船越駅から車で5分。秋田駅~船越駅40分。） ・秋田空港から車で47分
23	秋田県潟上市	市有地：潟上市天王字北野85	5.7ha	調査中	調査中	JR追分駅から車で7分 昭和男鹿半島ICより車で10分
24		昭和工業団地（県営）潟上市昭和大久保字北野蓮沼前山地内	6.0ha 1.4ha 0.6ha	普通高圧（6.6KV）は団地内まで配電線が敷設。特別高圧が団地から1Kmの66KV送電線より引き込み可能	調査中	JR大久保駅から車で7分 昭和男鹿半島ICより車で5分
25	秋田県北秋田市	北秋田大野台工業団地	①4.0ha ②4.1ha ③4.8ha	調査中	フレッツ光ネクスト 上り下りとも「概ね1Gbps」	JR奥羽本線（鷹巣駅）6Km、車10分 大館能代空港5km、車5分 能代港45km、車50分
26		七日市工業団地	2.3ha	調査中	フレッツ光ネクスト 上り下りとも「概ね1Gbps」	JR奥羽本線（鷹巣駅）8Km、車13分 大館能代空港7km、車10分 能代港42km、車50分
27	秋田県にかほ市	にかほ市内民有地	約11ha	調査中	調査中	金浦インターより車1分
28	秋田県湯沢市	成沢工業団地	5.2ha	調査中	調査中	JR湯沢駅より車7分 湯沢インターより車4分
29	秋田県由利本荘市	楢ノ木平工業団地	約2.1ha	普通高圧（6.6kV）は団地入口まで配電線が敷設 特別高圧は当地から約10kmの66kV送電線より引き込み	調査中	国道108号隣接、秋田自動車道湯沢ICへ25km JR羽越本線羽後本荘駅へ35km 秋田空港へ75km
30	秋田県横手市	横手市柳田工業団地新区画	約5ha	普通高圧（6.6kv）は団地入口まで配電線を敷設予定 特別高圧は、当団地から約500mの66kv送電線より引き込み可能な予定	調査中	横手駅より車で12分 柳田駅より車で4分 横手インターより車で3分 秋田空港より車で50分 花巻空港より車で60分
31	福島県郡山市	郡山西部第一工業団地第2期工区	分譲面積約37ha 約9haまで一体利用が可能	特別高圧（66,000V）を団地内変電所から引き込み可能	光ファイバーケーブル（予定）	・郡山インターから約5.9km ・JR郡山駅から約13km
32	福島県田村市	（仮称）田村市東部産業団地	平場面積 A区画：13ha B区画：8ha	高圧 特別高圧は要相談	光ファイバー整備見込	【高速道路】磐越道船引三春IC又は田村スマートIC どちらも約15km 【空港】福島空港まで約45km 【鉄道】JR磐越東線船引駅まで約11km
33	栃木県栃木市	栃木インター地区【栃木市吹上町、野中町内】市有地、民有地	10ha~26ha程度	特別高圧2系統引込可、66kV最寄の変電所から1.3km（10万KW程度、工期3年）	専用線で2系統確保可能	新栃木駅より車5分 栃木インターより車1分
34	栃木県那須町	那須町内 民有地	約15ha	調査中	調査中	那須塩原駅より車35分 東北自動車道那須ICより車20分

	地方公共団体名	立地候補地	規模	電力インフラ整備状況	通信インフラ整備状況	交通アクセス
35	群馬県	高崎玉村スマートインターチェンジ北地区工業団地	約15.4ha	特別高圧1系統 (154kv) 引込可、群馬変電所から9.5km、新岡部変電所から19km	調査中	関越自動車道高崎玉村スマートインターチェンジより車1分
36	群馬県伊勢崎市	市内東部 (産業団地予定地)	約40ha	調査中	調査中	JR伊勢崎駅より車14分 北関東自動車道伊勢崎インターより車10分
37	群馬県下仁田町	下仁田町馬山地内町有地	約83.4ha	66kVの変電所から4km	調査中	上信越道下仁田IC より車5分
38	群馬県千代田町	千代田町内 新規工業団地候補地	約10.3ha	調査中	調査中	東北自動車道館林インターより車25分
39	群馬県沼田市	沼田市横塚町内横塚工場適地	約14ha	特別高圧66kV送電線まで500m	光ファイバー最大1Gbps対応可	関越自動車道沼田インターより車5分、羽田空港より2時間40分、JR沼田駅より車15分
40	新潟県	新潟県東部産業団地 (3区画)	11.25ha	特別高圧供給可能	光通信対応可能	新潟駅より車25分
41	新潟県魚沼市	魚沼市大塚新田地内地	13ha	敷地上に特別高圧線あり	隣接する国道17号にNTT等通信ケーブルあり	浦佐駅より車15分
42	新潟県南魚沼市	南魚沼市内民有地	約10ha	東北電力変電所 66kV浦佐変電所 距離1.1km 66kV小出変電所 距離8.5km	過去にNTT系、電力系企業と回線協議を申込み好感触を得ているが、具体的な協議を始める前に計画が立ち消えになった。	新幹線浦佐駅 2.8km車6分 関越道大和SIC 2.6km車6分 関越道六日町IC 14.5km車29分 関越道小出IC 11.0km車22分
43	石川県	いしかわサイエンスパーク	約8ha	70kV特別高圧を2系統引込可 (50MW、期間3年)	異キャリア、異ルートで確保可能	金沢駅より車40分 小松空港より車30分
44	石川県志賀町	能登中核工業団地内 (民地含む)	約10ha	普通高圧6,600V特別高圧66,000Vも供給可能	光ファイバー1Gbps及び10Gbps	西山インターより車で8分 小松空港から車で1時間30分 能登空港から車で40分 JR羽咋駅から車で30分
45	石川県加賀市	黒崎町地内民有地	約36ha	調査中	高速専用線等で2系統確保を検討中	片山津ICより車10分 加賀温泉駅より車15分
46	福井県敦賀市	敦賀市内 民有地 (工業専用地域)	約3.1ha	変電所から約1Km 近隣鉄塔から200m	調査中	敦賀駅より車約10分 敦賀ICより車約10分
47	長野県千曲市	千曲市内 民有地	約9.1ha	調査中 (令和4年6月頃判明予定)	調査中	更埴インターチェンジより車5分 しなの鉄道屋代駅より車5分
48	岐阜県恵那市	恵那西工業団地	12.1ha	特別高圧 (77kV) 敷設可 (開発地に77kV送電線隣接)	調査中	中央自動車道 恵那ICより車5分 JR中央本線 恵那駅より車5分
49	岐阜県多治見市	多治見高田テクノパーク	11.5ha	特別高圧 (77kV) 敷設可 ※特別高圧線から当該用地までの距離約0.1km。鉄塔建替1基及び受電位置に新規鉄塔1基建設にて引込可能【中部電力パワーグリット㈱仮供給検討結果より】	調査中	東海環状自動車道 五斗蒔SICより車5分 JR中央本線 多治見駅より車15分
50	岐阜県中津川市	中津川西部テクノパーク	約10ha	特別高圧 (77kV) 敷設可	調査中	中央自動車道 中津川ICより車10分 JR中央本線 美乃坂本駅 (リニア中央新幹線岐阜県駅隣接) より車5分
51		中津川市蛭川若山地地	31.6ha	特別高圧 (77kV) 敷設可	調査中	中央自動車道 中津川ICより車15分 JR中央本線 美乃坂本駅 (リニア中央新幹線岐阜県駅隣接) より車10分
52	三重県伊賀市	伊賀市ゆめが丘南部地内 (民有地)	約10ha (拡張可能)	・近接する変電所は特別高圧二系統 (77KV) で15MW、約1km、工期3年。 ・別系統では、60MW、約3km、工期6年 (いずれも想定値であり、調査中の為、要相談願います)	伊賀市内横断の近鉄大阪線沿いにSM、DSFの2種類の通信ケーブルが敷設されています。将来的には計画地まで約10キロ架設整備が必要となります。 (要協議)	・名阪国道友生インターより車で約10分 ・近鉄大阪線伊賀神戸駅より車で約15分 ・伊賀鉄道市部駅より車で約5分
53	三重県桑名市	桑名市内 民有地	約4.6ha	特別高圧154kV2回線引込可 (期間4年5カ月)	調査中	多度駅より徒歩25分、桑名東インターより車15分
54	滋賀県甲賀市	甲賀市甲賀町大原中、大原上田地先	約140ha	上水道 (甲賀市)、下水道接続可能、高圧電力 (6,000V) または特別高圧 (20,000V)	甲賀市内全域にて、ケーブルTVの光ファイバーケーブルによる通信インフラが整備済み。 (企業用除く)	JR甲賀駅より車10分
55	滋賀県彦根市	彦根市内野田山地区	約10ha	地区内に送電線有	不明	名神高速道路彦根ICから車5分 JR彦根駅から車10分
56		伊吹工業団地セメント工場跡地	総敷地25ha (※) の内、約12ha	特別高圧77,000V (坂田変電所から1.5km)	光ファイバー引込可	JR米原駅より車で25分 米原ICより車で20分
57	滋賀県米原市	伊吹工業団地大清水地先	約15ha	特別高圧77,000V (坂田変電所から1.5km)	光ファイバー引込可	JR米原駅より車で25分 米原ICより車で20分
58		米原工業団地西坂地先	約10ha	特別高圧77,000V (湖東変電所から1.2km)	光ファイバー引込可	JR米原駅より車で10分 米原ICより車で3分

	地方公共団体名	立地候補地	規模	電力インフラ整備状況	通信インフラ整備状況	交通アクセス
59	滋賀県竜王町	町内民有地	約40ha	超高圧・特別高圧2系統引込可	名神高速道路沿いに光ファイバー敷設	名神高速竜王ICすぐ JR野洲、近江八幡駅より車20分
60		町内民有地	約30ha	超高圧・特別高圧2系統引込可	名神高速道路沿いに光ファイバー敷設	名神高速竜王ICすぐ JR野洲、近江八幡駅より車20分
61	京都府宮津市	宮津市内 宮津エネルギー研究所用地	約11ha 約7ha	275,000kVおよび77,000kV送電設備あり。 ※供給の詳細は協議要	光ファイバー回線あり。 ※詳細は通信事業者と協議要	宮津駅より車10分 京都縦貫自動車道宮津天橋立ICより車15分
62	兵庫県	播磨科学公園都市 ①産業用地C-12区画 ②産業用地C-13区画 ③業務用地	①2.4ha ②2.0ha ③3.6ha	特別高圧を都市内変電所から引き込み可能	県専用光ファイバー最大10Gbps利用可能	相生駅より車20分 播磨新宮インターより車3分
63		ひょうご情報公園都市	約50haの一部	調査中	県専用光ファイバー最大10Gbps利用可能	三木東インターより車5分
64	兵庫県西脇市	西脇市内　民有地	約15ha	引込可能高圧線　77,000V	調査中	JR西脇市駅より車10分、滝野社インターより車15分
65		西脇市内　民有地	約6ha	引込可能高圧線　77,000V	調査中	JR西脇市駅より車10分、滝野社インターより車15分
66	和歌山県	コスモパーク加太	約55.6ha	高圧6.6kV配電可能 特別高圧77kVを加太変電所から引込可（約1.8km）	コスモパーク内に通信事業者2社の光回線有り	大阪市内より車80分 和歌山北ICより車30分 関西国際空港より車50分 南海本線和歌山大学前駅より車20分 南海加太線二里ヶ浜駅より車6分
67		御坊工業団地（熊野）	約21ha（造成後約12ha）	高圧6.6kV配電可能 特別高圧33kV、77kVを引込可（約3.6km）	未調査	御坊ICより車5分 御坊南ICより車3分 関西国際空港より車60分 南紀白浜空港より車40分 JR紀勢本線御坊駅より車10分
68	鳥取県鳥取市	鳥取市内　市有地（若葉台）	約3.3ha	特別高圧20,000V、契約電力9,000kWの条件下で2系統引込可 再エネ100%電力も利用可能	光回線の提供可 鳥取情報ハイウェイ利用可（基幹最大10Gbps）	鳥取駅より車15分 鳥取空港より車25分
69	島根県	石見臨空ファクトリーパーク	分譲可能面積：26.1ha	現状6.6kV線引き込み済み （令和4年度中に22KV線引き込み予定）	光ファイバー最大100Mbps対応可	・山陰道（益田道路）「萩・石見空港IC」まで車10分（別途、団地最寄りICの計画あり） ・JR益田駅より車15分
70	広島県東広島市	福富地区工業団地開発予定地	約8.5ha	普通高圧（6,600V）から供給予定	未定	山陽自動車道西条ICから12.6km（車20分）
71		入野地区工業団地開発予定地	約13ha	未定	未定	山陽自動車道河内ICから3.6km（車5分） 広島空港から6.5km（車10分）
72	山口県美祢市	美祢市内　市有地	約40ha	現在電力会社へ照会中	調査中	新山口駅より車18分 中国自動車道／十文字ICより車1分
73	香川県 香川県綾川町	綾歌郡綾川町千疋地区　民有地	約15ha	約1km隣接地に四国電力送配電香川変電所あり （187kv高圧送電線あり）	NTT光ファイバー繋ぎこみ可能	高松空港から約4km（車5分以内） 高松市中心部から約14km（車約30分） 高松西ICから約7.5km（車約15分） 府中湖スマートICから約9.5km（車約20分） 琴電畑田駅から約4km（車約5分） 琴電バス停高松空港から約4km（車5分以内）
74	福岡県 福岡県直方市 福岡県鞍手町	直方・鞍手工業用地造成予定地直方市内・鞍手町内市有地・民有地	約23ha	調査中	調査中	鞍手インターより車3分 筑前植木駅より徒歩5分 小倉駅より車30分 博多駅より車45分 北九州空港より車35分
75	佐賀県吉野ヶ里町	東脊振インター工業団地	3ha	特別高圧：66000V 変電所から、6.5km	調査中	東脊振ICより車0分 吉野ヶ里公園駅から車で8分 福岡空港から車で35分
76	熊本県宇城市	宇城市松橋町浦川内山林	3.2ha	調査中	調査中	松橋ICより車3分松橋駅より車15分
77		宇城市三角町戸馳国立療養所跡地	3.1ha	調査中	調査中	三角ICより車9分三角駅より車8分
78	熊本県南関町	南関町内　民有地	約1.6ha	・110kv特別高圧（2回線）まで1.1km ※南関変電所・南関分岐線 ・発電プラントより約400kwの電力供給可能	専用線2系統確保可能（調査中）	菊水ICより10分（5.0km）

北海道ニュートピアデータセンター研究会

北海道ニュートピアデータセンター研究会
発起人名簿

（五十音順）

	氏名	所属
	有田 大助 【2.3】執筆	アルテリア・ネットワークス（株）取締役専務執行役員CCO
○	江崎 浩 【2.2】執筆	東京大学大学院 情報理工学系研究科 教授 WIDEプロジェクト 代表　デジタル庁 Chief Architect
○	岸上 順一 【1.4】執筆	室蘭工業大学 特任教授
	Juha Saunavaara 【1.5】執筆	北海道大学 北極域研究センター 助教
	田中 邦裕 【1.1】執筆	さくらインターネット（株）代表取締役社長
	中村 秀治 【2.2】執筆	（株）三菱総合研究所執行役員／三菱総研DCS（株）常務執行役員
	藤原 洋 【1.2】執筆	（株）ブロードバンドタワー 代表取締役会長 兼 社長CEO
	古田 敬 【3.2】執筆	Digital Edge社 日本代表
●	三谷 公美	一般社団法人LOCAL 理事　さくらインターネット（株）企画推進部
○	村井 純 【1.3】執筆	慶應義塾大学 教授　WIDEプロジェクト Founder
	村田 英司 【3.3】執筆	王子エンジニアリング（株）代表取締役副社長 営業技術本部長
	柳川 直隆 【3.1】執筆	（株）フラワーコミュニケーションズ 代表取締役 北海道産業集積アドバイザー
◎	山本 強 編者・【はじめに】執筆	北海道大学 名誉教授
●	吉田 淳	クラウドネットワークス（株）代表取締役

◎…発起人代表　　○…発起人副代表　　●…事務局

デジタル安全保障2040
激動の時代を勝ち抜くデータセンター戦略

2022年9月20日　第1版第1刷発行

　　著者：北海道ニュートピアデータセンター研究会（代表　山本 強）、
　　　　　日経BP 総合研究所イノベーションICTラボ
　発行者：河井 保博
　　発行：株式会社日経BP
　　発売：株式会社日経BPマーケティング
　　　　　〒105-8303　東京都港区虎ノ門4-3-12

装幀・制作：プランナーズ・インク、灰野さつき、松川直也（日経BPコンサルティング）
印刷・製本：大日本印刷